CRÓNICAS DE EDUCAÇÃO 4

Cecília Meireles

CRÔNICAS DE EDUCAÇÃO 4

Planejamento Editorial
LEODEGÁRIO A. DE AZEVEDO FILHO

Coordenação Editorial
ANDRÉ SEFFRIN

São Paulo
2017

© Condomínio dos Proprietários dos Direitos Intelectuais
de Cecília Meireles
Direitos cedidos por Solombra – Agência Literária
(solombra@solombra.org)
1ª Edição, Nova Fronteira, Rio de Janeiro 2001
2ª Edição, Global Editora, São Paulo 2017

Jefferson L. Alves – diretor editorial
Gustavo Henrique Tuna – editor assistente
André Seffrin – coordenação editorial, estabelecimento de texto e cronologia
Flávio Samuel – gerente de produção
Jefferson Campos – assistente de produção
Flavia Baggio – assistente editorial
Fernanda Bincoletto – assistente editorial
Danielle Costa e Tatiana F. Souza – revisão
Tathiana A. Inocêncio – projeto gráfico
Victor Burton – capa

Obra atualizada conforme o
NOVO ACORDO ORTOGRÁFICO DA LÍNGUA PORTUGUESA.

A Global Editora agradece à Solombra – Agência Literária pela gentil cessão dos direitos de imagem de Cecília Meireles.

**CIP-BRASIL. CATALOGAÇÃO NA PUBLICAÇÃO
SINDICATO NACIONAL DOS EDITORES DE LIVROS, RJ**

M454c
2. ed.

    Meireles, Cecília, 1901-1964
    Crônicas de educação, volume 4 / Cecília Meireles; organização Leodegário A. de Azevedo Filho; coordenação André Seffrin. – 2. ed. – São Paulo: Global, 2017.
il.

    ISBN 978-85-260-2266-9

    1. Crônica brasileira. 2. Educação - Brasil - Crônica. I. Azevedo Filho, Leodegário A. de. II. Seffrin, André. III. Título.

16-31025   CDD: 869.98
                                                    CDU: 821.134.3(81)-8

Direitos Reservados

global editora e distribuidora ltda.
Rua Pirapitingui, 111 – Liberdade
CEP 01508-020 – São Paulo – SP
Tel.: (11) 3277-7999 – Fax: (11) 3277-8141
e-mail: global@globaleditora.com.br
www.globaleditora.com.br

Colabore com a produção científica e cultural.
Proibida a reprodução total ou parcial desta obra sem a autorização do editor.

Nº de Catálogo: **3874**

Acervo pessoal de Cecília Meireles

A escola é que sempre nos dirá o que somos e o que seremos. Ela é o índice da formação dos povos; por ela se tem a medida das suas inquietudes, dos seus projetos, das suas conquistas e dos seus ideais.

(Da crônica "Nossas escolas",
publicada no *Diário de Notícias*, "Comentário" de 16-11-1932.)

A Nova Educação tem, principalmente, essa vantagem: de não se dirigir apenas à escola, à criança e ao professor. Ela atua sobre a família, a sociedade, o povo, a administração. Ela está onde está a vida humana, defendendo-a, justamente, dos agravos que sobre ela deixam cair os homens que se converteram em fantoches, movidos por interesses inferiores, esquecidos das altas qualidades e dos nobres desígnios que definem a humanidade, na sua expressão total.

(Da crônica "A responsabilidade da imprensa",
publicada no *Diário de Notícias*, "Comentário" de 23-9-1930.)

E então nos voltamos para a educação. Como um último apelo. Para que o sonho não se perca, e se faça realidade sem deixar de ser sonho. E é tão belo que entristece. Porque o instante de beleza definitiva deixa sempre os olhos úmidos. A gente pensa: "Se fracassa a beleza, que pode mais restar ao homem para seu sustento?"

(Da crônica "O destino das esperanças",
publicada no *Diário de Notícias*, "Comentário" de 1-5-1932.)

Sumário

Oitavo núcleo temático: *Veículos de cultura e educação: poesia, cinema, teatro, música, exposições. Métodos auxiliares. O lúdico.*

O ensino da música nas escolas 15

As projeções fixas na escola...17

Dramatizações... 19

Festas escolares..21

A criança e os brinquedos 23

Educação artística e nacionalizadora 26

Como as crianças cantam..28

O espírito poético da educação 30

Educação estética da infância...32

Educação artística [I]..34

Ainda as exposições..36

Consequências das exposições escolares... 38

Educação artística [II] 40

Exibições infantis...42

Educação musical..44

Sugestões do Teatro da Criança 46

Depois do espetáculo... 48

O Salão..50

Exposições escolares 53

Cinema deseducativo 55

Uma iniciativa útil..57

Educação artística [III] 59

Asas de borboletas 61

Orfeões escolares 63

Café e educação 65

Sooky..67

Serviço de Música e Canto Orfeônico 69

Boletim de Educação Pública 71

Teatro e educação 73

Beleza.. 75

Teatro da Criança 77

NONO NÚCLEO TEMÁTICO: *O espaço escolar: ambiente e ambiência.*
 Prédios. Concursos.

O ambiente escolar...81

Escola atraente...83

Prédios escolares [I]...85

Fantasmagoria 87

Nossas escolas..89

Ambiente 91

Prédios escolares [II]..93

DÉCIMO NÚCLEO TEMÁTICO: *Educação e literatura infantil*

Literatura infantil [I]..97

Livros para crianças [I]...99

Constancio C. Vigil...101

Os poetas e a infância 103

Literatura infantil [II]...105

Livros para crianças [II]..107

Livros para crianças [III] 109

Livros infantis...112

DÉCIMO PRIMEIRO NÚCLEO TEMÁTICO: *Intercâmbio escolar*

[Inauguração da Escola Uruguai].....................................117

Um episódio inesquecível..119

Intercâmbio escolar..121

Fraternidade...123

Disciplina..125

Camaradagem 127

DÉCIMO SEGUNDO NÚCLEO TEMÁTICO: *Educação, jornalismo, responsabilidade e censura da imprensa*

Jornalismo e educação 131

Em favor da Casa do Estudante 133

A responsabilidade da imprensa 135

Censura e educação 137

Coisas de máquinas 139

A responsabilidade dos revisores 141

Aniversário..143

DÉCIMO TERCEIRO NÚCLEO TEMÁTICO: *Civismo na formação das crianças, dos adolescentes e dos adultos*

Solenidades cívicas 147

As comemorações de domingo em homenagem ao "Marechal de Ferro" 149

Moral e Cívica...151

Educação Moral e Cívica..153

Os patronos das escolas..156

Tiradentes 158

Abolição!..160

13 de maio 162

A extensão das pátrias...164

14 de julho 166

Brasil... 168

DÉCIMO QUARTO NÚCLEO TEMÁTICO: *Paz, desarmamento e não violência*

Cooperação 173

Uma página de Remarque 175

Natal..177

Gandhi 179

O brinquedo da guerra..181

Desarmamento 185

Uma questão de solidariedade..188

Desarmamento...190

A desilusão da mocidade 192

O recurso extremo...194

Dois poemas chineses...196

Cruzada da juventude 198

O destino das esperanças 200

Cartas de estudantes mortos na guerra 202

Cartas de estudantes alemães mortos na guerra [I] 206

Cartas de estudantes alemães mortos na guerra [II] 210

Cartas de estudantes alemães mortos na guerra [III] 213

Pró-paz 218

À hora do fogo 221

Paz 223

Mussolini e a paz 225

Continuação de Mussolini e a paz 228

Brinquedos... 230

A paz pela educação 232

Notas de um caderno de guerra 234

Os educadores e a paz 237

Para acabar com a guerra 239

Esse fantasma da guerra 241

Os químicos e a paz 243

A escola e a obra da paz 245

Despedida 247

Cronologia 249

oitavo núcleo temático

VEÍCULOS DE CULTURA E EDUCAÇÃO:
POESIA, CINEMA, TEATRO, MÚSICA, EXPOSIÇÕES.
MÉTODOS AUXILIARES. O LÚDICO.

O ensino da música nas escolas

Associação Brasileira de Música, que acaba de ser criada, e que tem à sua frente nomes dos mais respeitados nos nossos centros musicais, pretende promover a educação musical do nosso povo, oferecendo-lhe boas audições públicas, quer por meio de sociedades para esse fim organizadas, quer gratuitamente, em concertos, nas praças públicas e nas escolas.

Nas escolas – aí está uma coisa realmente interessante e oportuna.

Ninguém ignora a influência da música na formação da individualidade; ninguém tem dúvidas sobre a importância desse fator estético na moderna orientação do ensino; ninguém desconhece o poder do ritmo na estrutura psíquica das criaturas. E todos sabem, também, o que, em matéria de música, existe nas nossas escolas...

Desgraçadamente, ainda hoje, há quem acredite que o ensino musical a ministrar às crianças se limita a um certo número de hinos, – quase todos, seja dito de passagem, com letra incompreensível, e uma retórica ridícula nos lábios infantis. Há mesmo quem suponha que é alcançar um triunfozinho fazer a escola inteira cantar em qualquer língua – sem saber, é claro, o que está dizendo...

Além do desastre geral dos hinos, que os alunos cantam contrafeitos, sem lhes emprestarem nenhuma significação, – e o Hino Nacional, entre os outros hinos brasileiros, mereceria mais respeito – há o das "modinhas", canções etc., que formam o repertório das festas escolares.

A literatura infantil já é, sozinha, de uma lastimável pobreza, entre nós. E não só é pobre, como também deseducativa. Quando, porém, a essa literatura se agrega a música (parece até que para lhe esconder os defeitos), o caso toma proporções muito mais graves. Fazer ler coisas ruins, rimadas à força, para se chamar poesia, é lamentável: que se poderá dizer quando se cantam essas mesmas coisas, em voz bem alta, quanto mais alta melhor, para que ouçam os pais, as visitas e os vizinhos?

Qualquer professor criterioso sabe que é muito raro encontrar um pequeno trecho musical, perfeitamente adequado aos interesses da criança, às suas possibilidades, às suas condições psicológicas. Mas... e quando a senhora diretora acha que é preciso cantar?

Isso ocorre, principalmente, nos dias importantes: nas festas, nas demonstrações... Não tem significação nenhuma, não representa nenhum resultado de aproveitamento, porque o que se canta nas escolas – de um modo geral – não obedece a nenhum plano, a nenhum ensino regular nem gradual. E o maior perigo dessas práticas artificiais não está no prejuízo vocal das crianças nem no desacato à sua intuição estética, – mas no conceito moral que elas elaboram acerca de todas essas pequenas grandes coisas...

No entanto, como se poderia promover vantajosamente um movimento de geral interesse pela música pedagógica! E como vem a propósito, no programa da Associação Brasileira de Música, a passagem referente à educação popular e ao ensino dessa arte nas escolas!

Como isso nos dá uma enorme esperança de um pouco de alegria e beleza nos lábios áridos da nossa infância! Um pouco de alegria e beleza para a sua alma, para a edificação da sua vida, isto é, da vida brasileira a caminho da própria plenitude.

Seria de desejar, porém, que, na sua campanha de propaganda, a associação recentemente criada, e tão digna de simpatia, se projetasse no magistério, a cuja responsabilidade está entregue à infância. Poder-se-ia tentar uma colaboração útil entre musicistas e professores primários. Ambos têm o que dar e o que receber. E reunir aptidões e experiências diversas, mas necessárias, para atingir um fim é ainda a maneira mais certa e pronta de atingi-lo.

Rio de Janeiro, *Diário de Notícias*, 5 de julho de 1930

As projeções fixas na escola

Um dos auxiliares mais importantes para o professor moderno, todo o mundo o sabe, – é o cinema. Com projeções interessantes, seguindo a prática já vastamente indicada pela pedagogia, ou experimentando novos rumos, pode-se conseguir do aluno um rendimento maior e mais seguro apresentando-lhe quase ao natural mil coisas atraentes, que lhe estimulam a curiosidade, e que, por várias circunstâncias, a não ser por esse meio, talvez nunca os seus olhos pudessem ver.

Não é, porém, apenas o cinema propriamente dito esse elemento de valor altamente sugestivo. As projeções fixas, quer por meio de diapositivos, quer por gravuras ou desenhos, são de resultados importantíssimos, e em alguns casos mais úteis ainda que o cinema.

Neste caso, pode-se tirar grande vantagem da colaboração do aluno organizando coleções de gravuras sobre determinado assunto, de modo a constituir uma sequência interessante, unindo-se os elementos entre si por legendas curtas, claras e exatas, que podem ser do próprio aluno, – simples e proveitoso exercício de redação.

Também se pode reconstituir qualquer lição por meio de projeções dessa natureza, conseguindo-se que as crianças, em trabalho de colaboração, lhe desenhem as passagens principais, acompanhando-as ou não das legendas, pois também se pode fazer dessas legendas exercício de redação oral.

Foi o que sucedeu, certa vez, espontaneamente: as crianças que preparavam os desenhos pediram-nos que os deixássemos depois, durante a projeção, como se fossem os personagens. Chamavam a isso "cinema falado", e ficavam enormemente satisfeitas com a "inovação" introduzida na escola, tal como estava sucedendo, naquele momento, na cidade.

Como quer que seja, as projeções devem durar, em média, dez minutos, para não fatigar o aluno.

A prática ensinará ao professor mil maneiras interessantes de as utilizar, bem como de as coligir.

É uma forma de aproveitar os desenhos que entusiasmam os seus autores, por sentirem como que a completação do trabalho, vendo-os, depois de executados, constituir um todo harmonioso. E é um ótimo estímulo sempre que se deseja a colaboração alegre e entusiástica da criança para obra de conjunto.

Como, além disso, elas mesmas se encarregam de reconhecer as qualidades e os defeitos dos desenhos a projetar, como, com o seu direito de crítica habilmente aproveitado, irão distinguindo cada vez melhor os bons e os maus trabalhos, tanto seus como dos colegas, segue-se que a todos os professores conviria um interesse mais intenso pelas projeções fixas, em que têm um auxiliar de primeira ordem na sua tarefa de educar.

Semana verbal
Um trabalho do professor Clodoveu Doliveira

O professor Clodoveu Doliveira, no louvável intuito de simplificar o estudo dos verbos nas escolas, acabando com o antipedagógico processo de distribuir direitinho pelas linhas as pessoas de cada tempo, e fazê-las decorar depois, – realizou hoje, no salão da União dos Empregados no Comércio, uma demonstração do seu método de ensino, em seis lições, publicado sob o título de *Semana verbal*.

Explicando o seu método, diz o professor Clodoveu Doliveira:

> quem sabe falar sabe conjugar verbos; por isso, suprimi o ensino das terminações, substituindo-as pela significação das formas verbais, associando cada uma delas a uma frase habilmente escolhida. Fica, assim, o método reduzido, em uma análise, a menos de duas dúzias de frases, uma para cada forma, ou tempo. Desde que associe o nome, ou designação de cada forma verbal, à frase correspondente, o aluno naturalmente conjugará o verbo que se lhe indicar. Conjugará depois de o empregar mentalmente. É um método de resultados instantâneos.
>
> A conjugação decorre, portanto, do emprego, enquanto, até agora, o emprego decorre, em grande parte, da conjugação.
>
> A inovação produz magníficos resultados. Na idade escolar, aos sete anos, as crianças conhecem centenas de verbos e já se acham familiarizadas com a maioria das formas, mesmo em relação aos verbos irregulares. Com efeito, todas as crianças empregam habitualmente as formas "traga, faça, fizesse, trouxesse, coubesse, for, der etc.", e, no entanto, depois de meses e anos de aula, encontram sérias dificuldades na conjugação do subjuntivo dos verbos irregulares. Pelo processo de C. Doliveira tais dificuldades não existem; são totalmente eliminadas. O aluno fica sabendo o nome e o emprego de todas as formas verbais e, desde que se lhe apresentem verbos criteriosamente selecionados, fará, na escola primária, um curso quase que completo de linguagem, sem esforço.

Rio de Janeiro, *Diário de Notícias*, 15 de julho de 1930

Dramatizações...

Uma das coisas mais interessantes, na escola moderna, é a dramatização de fatos históricos, fábulas, páginas de leitura etc., em que, aproveitando-se das tendências naturais da criança para viver com intensa sensibilidade todos os fenômenos que a impressionam, se faz chegar a uma forma de expressão exterior e pormenorizada o conteúdo mais profundo da sua visão subjetiva.

Há, imediatamente, uma verificação do que foi absorvido. Encontram-se, de surpresa, as mais variadas interpretações da mesma história, da mesma narrativa, do mesmo fato. Existe sempre uma tonalidade pessoal na manifestação do que foi assimilado. E com a maior simplicidade e a mais completa eficácia é possível modificar o que se ache mal apreendido ou erroneamente observado.

Como, porém, as coisas têm sempre dois aspectos, as dramatizações podem dar maus resultados, se não forem a consequência de uma elaboração prévia, se não corresponderem, realmente, à expressão de um conhecimento anteriormente vivido.

Para se compreender bem como, em certos casos, podem as dramatizações ser desastrosas, basta relembrar aquela aula de História do Brasil que já passou ao domínio da anedota.

A professora ensinou o descobrimento feito por Pedro Álvares Cabral, servindo-se dos alunos como pontos de referência. Um foi o almirante; outros, as naus; outro, Porto Seguro; não sabemos se chegou a fazer a missa com algum...

Tudo correu muito bem. Devia ter corrido mesmo muitíssimo bem, porque não há como coisas dessas para pôr as crianças num estado de alegria ativa e deliciosa.

Mas parece que o resto não foi tão engraçado. Porque dizem que, dias depois, querendo saber quem fora o descobridor desta terra, teve a seguinte surpresa: os pequenos todos se entreolharam, avidamente, e não responderam. E, como insistisse na pergunta, meio desapontada com os efeitos da lição anterior, um deles se animou a dizer:

"O que descobriu não está aqui não, *fessôra*, foi lá fora, beber água..."
É preciso não "objetivar" demasiado... Há coisas, às vezes, perigosas...

Rio de Janeiro, *Diário de Notícias*, 25 de julho de 1930

Festas escolares

As festas escolares compreendidas no bom sentido, no sentido da moderna pedagogia, que põe toda a sua preocupação em favorecer a formação da criança dentro de um critério humano, biológico, de evolução harmoniosa de todas as suas faculdades, é um dos motivos mais interessantes com que pode contar o professor para incentivar a atividade de seus alunos.

Partindo do princípio de que uma festa escolar deve pretender ser uma causa de alegria para as crianças, já ficam excluídos dos programas todos esses números cuja justificação se encontra, apenas, no agrado que despertam nos professores e nos pais. Tudo o que constrange, que cansa, que entedia – apesar de uma falsa aparência de interesse, superficialmente despertado pela novidade – deve ser posto à margem, quando se deseja realizar, realmente, uma festa para a infância.

Considerando, também, que a alegria é um dos mais poderosos fatores para facilitar o aprendizado, o professor hábil em preparar oportunidades úteis à classe não perderá de vista as festas escolares, tão fecundas em possibilidades desse gênero.

Vejamos agora as diversas maneiras de aplicar a atividade da criança nesses preparativos.

O vestuário poderá ser confeccionado, em pano ou em papel crepom, pelas meninas, e os meninos podem adorná-lo pintando-o com essas deliciosas tintas de cola, que tão belo efeito produzem, e tão fáceis são de aplicar e secar.

Os ornatos, máscaras, peças decorativas serão executados com grande alegria por meninos e meninas, conjuntamente. E também nos cenários o seu concurso será precioso.

Se acrescentarmos que pequenas peças de mobiliário podem ser feitas por eles, e depois aproveitadas para utilização na classe, se pensarmos que a própria arrumação do ambiente escolar, nesses dias de festa, pode ser confiada às crianças, – na parte de ornamentação, de arranjo doméstico – e que, se houver um pequeno serviço de chá ou merenda, podem eles facilmente, também, ser preparados pelas crianças, teremos, num golpe de vista, percebido toda a riqueza de ensinamentos que se podem extrair de uma festa escolar.

E tudo isso com simplicidade. Sem grandes gastos. Considerando que uma festa não deve nunca originar contrariedades nem da parte dos pais nem dos alunos menos favorecidos, que, pela sua própria situação na vida, deixam de participar, muitas vezes, dessas inesquecíveis alegrias escolares, sendo, sem dúvida nenhuma, os que a ela mais direito têm.

Rio de Janeiro, *Diário de Notícias*, 11 de setembro de 1930

A criança e os brinquedos

Uma das causas mais frequentes de desentendimento entre o mundo dos adultos e a infância reside no que cada um deles pensa a respeito de um brinquedo. Não nos referimos a brinquedo – jogo, mas ao próprio brinquedo – objeto material, amigo inseparável da criança, e as mais das vezes antipático ao adulto, que já se esqueceu dos seus tempos de pequeno e não se quer deter a olhar com benevolência os que ainda neles vivem.

No desejo do adulto, o brinquedo devia ser uma coisa bonita, feita para encantar a criança, interessá-la, mas, ao mesmo tempo, despertar-lhe um tal respeito, ou pela sua beleza ou pelo seu valor, que ela não se atrevesse a tomá-la nas mãos senão em certas horas, durante um certo tempo, e de certa maneira. Resumindo: que não a estragasse.

Ora, a criança não faz nenhuma ideia sobre o preço das coisas, sobre o dinheiro e a sua relação com o trabalho – de modo que lhe é absolutamente impossível entender que é necessário respeitar o esforço que o papai faz para comprar os presentes que lhe dá. A criança vê o brinquedo, e gosta ou não gosta dele, se ele está ou não de acordo com os seus interesses psicológicos, se o desenvolvimento das suas faculdades carece deste ou daquele motivo de expansão.

Então, serve-se do brinquedo de acordo com essas necessidades interiores, sem que lhe passe pela cabeça que é preciso *brincar com cuidado*, a não ser quando assim lhe repetem – embora sem resultado – os adultos precavidos.

É na verdade um desconsolo para as mamães, os papais, os padrinhos e demais parentes ver uma boneca sem olhos, um palhaço com a barriga arrebentada, um cavalo sem patas, um automóvel sem rodas... Mas eles, que são tão cuidadosos, agora, onde puseram os brinquedos que ganharam quando eram pequenos? Pelo método que pregam, deviam ter um bazar...

Mas já não se lembram que desmontaram relógios, para ver como os ponteiros andavam, que tiraram os parafusos às máquinas, que abriram os bonecos, somente porque desejavam ver como eram por dentro...

O fenômeno é o mesmo. Talvez eles tivessem sofrido, quando faziam essas experiências. Convém refletir que não é o sofrimento que se deve transmitir agora. Que é um sentido novo de compreensão que se precisa estabelecer na terra.

Mas os pais entristecem mais profundamente, ainda, quando veem os filhos inteiramente satisfeitos com brinquedos que lhes parecem desprezíveis: bonecos de trapos, carrinhos feitos com latas de biscoitos, casas de caixas de papelão, vestidos compridos, arranjados com panos velhos (ou novos... ah! os lindos retalhos da mamãe!), bandeiras de papel, coladas com sabão, colares de botões, anéis de fio de linha, e outras coisas desse gênero. Como é – pensam eles, sem encontrarem uma resposta para o seu pensamento – como é que uma criança pode gostar mais de um carrinho feito com uma lata e dois carretéis que de um outro, comprado especialmente, envernizado, com um cocheiro de cartola e tudo? Tanto gosta mais, que não o estraga, que o defende com todo o seu amor, guardando-o em geral embaixo da cama, se acaso não o puder meter sob o travesseiro...

É que, em primeiro lugar, o brinquedo que se dá a uma criança geralmente não corresponde aos seus interesses biológicos. Quando a criança está ainda embevecida com as formas e as cores, dão-lhe coisas de mecânica complicada. Quando está na idade do movimento, dão-lhe coisas imóveis, feitas para contemplação. Quando requer coisas de raciocínio, não a satisfazem. É uma constante atrapalhação que todos já sentiram, quando, numa loja de brinquedos, tiveram de escolher, entre vários objetos, igualmente interessantes para o comprador.

Em geral, a criança, dobrando o pobre brinquedo à necessidade das suas funções psicológicas, converte-o em instrumento dessas funções, apropriando-o, modificando-o, utilizando-o, enfim. Como são injustos os adultos! Chamam a isso de estragar!

Quanto às belas invenções das crianças, elas são a realização da sua própria vida interior, a prática de si mesma. Quantas vezes as vemos vivendo uma existência arbitrária, em que cada uma toma um nome diferente do seu, e se veste com trajes que nós não compreendemos, mas que, para elas, têm uma significação maravilhosa, peça por peça... Estão inteiramente compenetradas do que representam. Já se viu uma menina comer um pedaço de papel que simbolizava uma salada de alface, numa brincadeira de "jantar".

Se alguém disser a uma criança que puxa uma lata, por um barbante, que aquilo não é um carrinho, perde seu tempo. Para ela é um carrinho completo, ainda que não tenha rodas. Nós já fizemos essa experiência, e a resposta foi: "As rodas não estão aqui, mas não faz mal. O papai logo traz."

É por isso que o brinquedo mais útil é aquele que a criança cria, ela mesma, que procura realizar com o material de que dispõe.

Os parentes e professores, acompanhando esse interesse, favorecendo-o, orientando-o sem o oprimir, concorreriam de um modo vantajosíssimo para a alegria da infância, ao mesmo tempo que a estariam educando, através da execução daquilo que ela tanto aprecia: o brinquedo.

Rio de Janeiro, *Diário de Notícias*, 21 de outubro de 1930

Educação artística e nacionalizadora

A última sessão realizada na Associação de Artistas Brasileiros merece especial consideração, porque se cogitou, nela, do problema da educação artística, assunto de profundo interesse, neste momento de renovação brasileira.

Toda revolução traz em si uma ideologia educacional, ainda que latente. A Revolução de Outubro trouxe-a no próprio programa que divulgou, e que só pode ter realidade mediante uma transformação, operada, nos elementos do presente, por seleção violenta, e, nos do futuro, por uma orientação já anteriormente esboçada na Reforma de Ensino do Distrito Federal.

As observações que o sr. Nestor de Figueiredo fez, em seu discurso sobre os defeitos de formação artística oriundos da ausência de interesse por assuntos dessa natureza na educação popular, estão, pedagogicamente, certas. A maioria dos homens está impossibilitada, entre nós, de compreender certas formas de arte, como, aliás, certas formas de pensamento, por erros e falhas longínquos no adestramento das suas faculdades.

Mas o mais importante na última sessão da A.A.B. foi, sem dúvida, o projeto apresentado pelo sr. Aníbal Bonfim para uma campanha de educação artística nacionalizadora, nos moldes da que se vem fazendo na grande terra de Vasconcelos.

Os nossos professores já terão tido ocasião de ler alguma coisa sobre a educação artística no México e saberão, portanto, do enorme prestígio de que gozam as escolas de pintura ao ar livre de que Ramos Martínez foi um dos orientadores. Devem, igualmente, saber do apoio que vêm tendo todas as manifestações de arte típica, nesse país, em que a Nova Educação tem um dos seus núcleos mais intensos, na América.

É alguma coisa desse gênero que pretende o projeto apresentado pelo sr. Aníbal Bonfim: animar o gosto pelas coisas brasileiras, no terreno artístico, e expandi-lo através da nossa educação popular, formando, assim, habitantes novos para uma terra que a Revolução veio fazer nova também.

Tudo isso é, positivamente, muito interessante. E a A.A.B. certamente encontrará entre os seus associados elementos capazes de uma atuação valiosa.

Mas há uma coisa importante a considerar nesse movimento, digno dos maiores aplausos: é preciso não perder de vista que o trabalho que se vai efetuar tem de ser mais de *educação* que de *ensino*. O ensino requer apenas uma técnica. Isso não resolveria, de modo algum, o nosso problema. É de *educação artística*, não de *ensino artístico*, que carecemos. A educação exige todo um processo interior, psicológico, profundo.

Seria inútil ensinar alunos a servirem-se das mãos, se não fosse para atingir um resultado superior, ainda quando desinteressado como o da arte pura.

Certamente, os iniciadores desse movimento, e os seus melhores divulgadores, serão aqueles que não estão mais oprimidos pelas velhas rotinas do ensino das belas-artes, os que já se desencantaram das surpresas superficiais das "técnicas", os que não tiraram, talvez, prêmio no Salão, e que não pensaram nunca em ser "artistas célebres", mas sentiram profundamente a vida revelada em formas, em cores, em linhas, em ritmo e se dedicaram a exprimi-la assim, com seriedade e amor: os que serão capazes de penetrar toda a intenção dos novos rumos educacionais e compreender como é preciso ser, realmente, grande artista para se ser, nestes tempos, um aceitável professor...

Rio de Janeiro, *Diário de Notícias*, 13 de novembro de 1930

Como as crianças cantam

O fato vem fresquinho, porque se passou hoje mesmo, e tem um gosto de espontaneidade tal, e vem tão a propósito neste momento que até parece inventado.

A menina de cinco anos chegou perto de mim, e disse-me, com a maior convicção:

– Sabe de uma coisa?

– Que é?

– Vou cantar o Hino João Pessoa.

– Muito bem! Cante lá!

Então, a pequena pôs as mãos para trás, naquela atitude que Pierre Loti dizia indicar, nas crianças pequenas, uma grande concentração, olhou para o alto, como quem recita de cor, ficou marcando o compasso com a cabeça, e principiou:

> Lá do Norte um herói altaneiro,
> Que da Pátria o amor conquistou,
> Foi um vivo farol que, ligeiro...

Aí a menina parou, e perguntou, fazendo um parêntese:

– Que é um "farol *queligeiro*"?

Depois da explicação, fiquei pensando num caso semelhante. Há certa cantiga que diz:

> Canta, meu coração, canta,
> Que o cantar o choro evita...

Uma criança que ouvia essa cantiga constantemente vivia muito preo-cupada com a interpretação de "chorevita", sem poder atinar com o sentido de tão estranha palavra.

Como esses dois casos, há muitos outros, que os professores que convivem realmente com os alunos, em vez de lhes ministrarem, apenas, certas coisas que julgam importantes, colhem todos os dias, fartamente.

Eles provam a imensa necessidade que se tem de familiarizar as crianças com a letra de certos cânticos, em vez de as fazer decorar, sem entender, o que ainda é muito mais comum do que se pensa e do que se tinha o direito de esperar.

Devido a essa negligência no esclarecer devidamente as coisas, é que, na escola em que eu andei, as crianças chamavam o Hino à Bandeira – o de mais bela letra que possuímos – o "Salvelino", – juntando erradamente as duas palavras iniciais.

E pelo mesmo motivo é que eu já ouvi, certa vez, numa escola, crianças bem crescidas, aliás, cantando assim:

> *Terra adorada!*
> *Entre outras mil,*
> *És tu, Brasil,*
> *Ó Pátria amada.*
> *Dos filhos de teu "frango" és mãe gentil...*

Ora, coisas assim entristecem. Dão a medida do descaso em que se têm as crianças.

E os hinos que, por sua vez, dificilmente têm sido bem escritos ficam, certamente, assim estropiados, muito pior do que já são.

Rio de Janeiro, *Diário de Notícias*, 15 de novembro de 1930

O espírito poético da educação

Poesia é uma palavra já triste, da nossa língua, pelo uso imoderado e inadequado que dela se tem feito.

Tantos poetas apareceram no gênero dos daquela definição de Procópio: "cidadão brasileiro, maior de 18 anos, natural do Maranhão", – que a palavra passou a ser quase pejorativa, e deixa sempre em certo estado de confusão a pessoa em quem se aplica.

No entanto, não há, decerto, melhor destino, no mundo, que ser poeta.

Ser poeta não é, precisamente, como em geral se pensa, poder escrever algumas coisas, com ou sem sentido, dentro de certos limites silábicos e com determinadas cesuras. É ter o dom de surpreender a beleza da vida, nas grandes linhas de harmonia em que se equilibra todo o universo.

Ser poeta é ter uma alma com dimensões diferentes da dos homens comuns. É poder apreender a amplidão das visões objetivas numa síntese admirável, bem como as expressões subjetivas, com todos os seus matizes, todas as suas cambiantes, todas as suas transfigurações.

Essa sensibilidade interior que é, propriamente, o dom poético nem sempre se manifesta em versos; e pode também deixar de ter uma exteriorização definida, de qualquer espécie artística.

Uma das modalidades de que se pode servir, para sua manifestação, é a da compreensão da vida infantil, que é, por sua vez, um dos mais belos espetáculos deste mundo. Por esse motivo de afinidade, é que inúmeros são os educadores que, ao mesmo tempo, têm uma personalidade artística já célebre: basta lembrar Tagore, Tolstói, S. Lagerlöf, Gabriela Mistral, por exemplo.

Mas ninguém pode negar um espírito poético em Pestalozzi, em Kerschensteiner, em Eduard Spranger, em Bovet, na sra. Artus Perrelet, – em todos esses que têm penetrado mais profundamente, pelo milagre do seu dom poético, na alma da infância e da adolescência, podendo sobre ela atuar com eficiência e simplicidade.

Quem ler hoje nesta página os conceitos do professor português João de Deus Ramos sobre educação moderna perceberá perfeitamente o que é a visão poética, e como serve para orientação educacional.

Uma criatura vulgar, desacostumada a sentir a sutileza dos espíritos afeitos ao convívio das ideias, acharia absurdo o desejo desse professor de colocar nos quartos de banho de sua escola-jardim banheiras de forma oval com o fim de sugerir à criança as origens da vida...

Esse desejo, no entanto, exprime uma atitude interior simples e compreensível para quem está habituado a olhar o mundo acima e além dos limites banais das coisas imediatamente acessíveis...

Se nós tivéssemos a sorte de possuir um diretor de Instrução capaz de se preocupar com uma coisa assim, e com a coragem de a propor, certamente, uma tremenda campanha de ignorância o deixaria sob a chuva de pedras de um inexorável ridículo...

Louvado seja Portugal, onde há um homem bastante poeta e bastante educador para amar com a sutileza do seu coração e do seu pensamento as crianças da sua escola!

Louvado seja Portugal pelo exemplo que dá a muitos povos... E, principalmente, pelo estímulo que leva ao sonho de todos os poetas que amaram o seu destino de criar a beleza, ainda que pelo preço da sua morte...

Rio de Janeiro, *Diário de Notícias*, 26 de novembro de 1930

Educação estética da infância

O problema da educação estética da infância precisa ser contemplado com mais atenção pelos pais e professores, porque ele contém, em grau notável, possibilidades inúmeras para o desenvolvimento e aperfeiçoamento da criança.

A razão de estar sendo ainda tão descuidado na escola, malgrado a suposição de muita gente que vê um piano no salão principal e assiste a um espetaculozinho decorativo, nas festas de fim de ano, está em que os professores de hoje ainda não dispõem, na sua totalidade, da cultura estética indispensável para sua devida orientação.

É preciso que se saiba que grande parte do magistério, em atuação nas nossas escolas, trouxe dos seus tempos de Escola Normal uns rudimentos de música e uns apontamentos de literatura, como única bagagem artística: rudimentos e apontamentos que, dia a dia, se tornam mais inúteis com a compreensão que se vai fazendo clara do que é a criança e do que é a educação.

A preocupação de instruir, que até bem pouco dominava a de educar, a ansiedade dos pais também mal orientados, querendo a todo o transe que os filhos soubessem ler e escrever, e certos inefáveis inspetores e diretores que julgavam o merecimento das professoras pelo número de alunos promovidos – fosse em que estado fosse – tudo isso contribuiu enormemente para que a escola se reduzisse quase à desgraçada missão de alfabetizar, despejando, anualmente, no mundo, algumas centenas de crianças, cujas possibilidades estavam limitadas à quase inutilidade do saber ler e escrever.

Em tais condições, educação estética seria uma superfluidade de fazer sorrir: luxo indesculpável, de que resultaria, apenas, perda de tempo.

Mas os professores de hoje, que se integraram, com um nobre esforço, na atual corrente de pensamento que vem atravessando o mundo – e que tem na escola um ponto de ação valiosíssimo, – sabem que a educação estética é um meio infalível de atingir a alma delicada da criança, sensível e dócil à beleza, amoldável a ela, capaz de se deixar influenciar pelo seu suave jugo, muito melhor que por obrigações rígidas, estabelecidas quase como um castigo, e como um castigo, na verdade recebidas.

Todo o processo educativo da arte está já estudado em magníficas páginas de psicólogos contemporâneos. Os resultados da sua aplicação, também, estão manifestos em conquistas pedagógicas devidamente firmadas. Não se trata, pois, de empirismo, nem literatura... É a verdade das pesquisas modernas ao serviço desinteressado da humanidade.

É a transformação natural do mundo que se opera, não obstante muita má vontade e muita ignorância, que, decerto, perdurarão, ainda, excepcionalmente.

Não estará longe o dia em que nós, brasileiros, teremos para os nossos filhos espetáculos de arte, representações, publicações, cursos especializados, – tudo determinado por uma autêntica orientação estética.

Porque está acabando aquela situação, que Bernard Shaw satirizou, das criaturas que, só na velhice, percorrem os museus de arte, para se instruírem...

Rio de Janeiro, *Diário de Notícias*, 2 de dezembro de 1930

Educação artística [I]

O problema da educação artística está neste momento se definindo, no Brasil, entre as pessoas que se interessam pelo assunto: e isso representa, sem dúvida, um índice muito significativo do rumo que tomam as cogitações educacionais, nesta terra a que a Revolução veio dar o alento de uma definitiva esperança.

A Associação de Artistas Brasileiros, que ainda há dias ouviu de um de seus membros ponderações sobre as sugestões do México para a nacionalização da arte, está, neste momento, por meio das suas comissões especiais de pintura, música etc., elaborando um plano educacional, vasto e sério, que, confiado a especialistas e orientado pelos princípios da moderna pedagogia, será, certamente, uma realidade próxima e eficiente.

Também por um ideal dessa natureza existe, reunindo os mais notáveis e prestigiosos elementos do nosso mundo musical, a Associação Brasileira de Música, que pugna pela criação de um ambiente cultural especializado, e projeta estudar todos os problemas de educação musical, nos seus mais interessantes detalhes.

É numa oportunidade dessas, quando os elementos brasileiros mais conspícuos, espontaneamente, se encontram voltados para o estudo atento desse valioso aspecto da educação artística, que aparece, para afirmar a utilidade dos objetivos dessas campanhas, o memorial da sra. Bidu Sayão Mocchi, já entregue ao presidente Getúlio Vargas.

Neste momento favorável a tantas aspirações, a aspiração educacional deve ser a mais acatada e apoiada.

O problema, pois, do ensino artístico, ligado aos problemas gerais da educação, fazendo parte de um plano educacional completo, tal como tem de ser compreendido pela proficiência dos que o tiveram de resolver, está, por assim dizer, na ordem do dia da Nova República.

A educação que também foi vítima – até ela! – da vaidade, dos interesses e das explorações de tanta gente, no passado regime, deve estar defendida de todos os assaltos que a possam desfigurar ou desmoralizar, nesta época de transformações, que atravessamos.

Devem ser meditadas profundamente todas as medidas que se tomarem em relação ao ensino, seja do que for, para que fique devidamente acautelado o interesse pedagógico de todas as tentativas capazes de o perturbar.

O memorial da sra. Bidu Sayão Mocchi tem, por isso, o valor de, chegando no momento em que a Associação de Artistas Brasileiros elabora um plano completo de educação artística e um plano especializado de educação musical, e a Associação Brasileira de Música reúne esforços para a realização dos seus objetivos, – chamar mais uma vez a atenção não só do governo, como também dos particulares, para a atuação daqueles dois núcleos, e dos seus projetos longamente preparados, e conscienciosamente desenvolvidos.

Rio de Janeiro, *Diário de Notícias*, 20 de novembro de 1930

Ainda as exposições...

Ainda as exposições escolares têm de sofrer hoje, nesta coluna, o comentário de uma pessoa de boa vontade, que as conhece de perto e, quanto mais as conhece, mais as detesta.

Já nos referimos à parte de colaboração que têm os professores, indevidamente, nos trabalhos atribuídos aos alunos. Se quiséssemos ir mais longe, poderíamos citar também o esforço que se exige de substitutas, guardiãs etc., – todos que têm pouca ou muita habilidade – para "a escola se apresentar dignamente", no fim do ano, por esse preconceito ou vaidade que é a característica dos professores que não foram capazes de evoluir com a reforma, – essa reforma altamente humana, que pretende dar a cada valor o seu lugar próprio e a sua natural expressão.

Queremos hoje frisar mais um defeito das exposições escolares, admitindo como dos alunos os trabalhos que por aí se exibem.

Quem percorrer as escolas no fim do ano para os ver ficará surpreendido, "se souber olhar", com a quantidade de coisas inúteis que aparecem e que se dão como executadas na escola.

Primeiro: almofadas. Almofadas de tudo: de cetim Royal e de veludo, de linho e de gaze, de tussor e de feltro. Até de percalina, recortada, eu já vi! E até de papel crepom...

Depois, essa praga dos abajures... Fazem-nos de tudo: montados em arame, com rendinhas, babadinhos, pinturas a bico de pena, a óleo, com areia, com figuras de decalcomania, com franjas de vidrilho, de contas, de feijão colorido, de tubos de injeção vazios, – uns de pé, que geralmente ficam desequilibrados sobre a haste, como uma cabeça sonolenta; outros de centro de sala, monstruosos como saias do século XVIII; outros para cima de mesa, com silhuetas, com laçarotes, com florinhas em relevo, com madrepérola, com lacre de todas as cores...

E, além de almofadas e abajures, uma infinidade de paninhos de renda, de seda, de linho etc. etc., recortados, bordados, pintados, perfurados, – para a mesa, para a penteadeira, para as cadeiras, para mil lugares absurdos que a gente não é capaz de adivinhar...

Chamam a isso – arte...

Para ensinar essas coisas artísticas é que se perdem alguns apressados dias do fim do ano, pondo as crianças em contato com essas futilidades que os adultos inventam, e que eles mesmos, aliás, – e quem sabe se felizmente? – na sua maior parte executam...

Ora, a escola primária, como o nome está declarando, não é nem pode pretender ser profissional... Os trabalhos infantis da escola primária não podem, por sua vez, pretender ser coisa especializada.

Mas a veleidade artística, a vaidade de fazer melhor que na escola de dona fulana, os preconceitos da escola antiga, ainda não extintos de todo, de que valor está na quantidade, – tudo isso tolda o raciocínio de algumas professoras (e talvez principalmente de algumas diretoras e inspetores), dando em resultado essa coisa horrível que quem quiser pode ir verificar aí pelo dia 15 deste mês, em algumas escolas municipais.

E por causa dessas coisas "artísticas" é que as crianças saem da escola primária sabendo fazer sestros de pintura com areia e com óleo, mas sem saber pregar botões nem fazer bainhas... Aí está...

Rio de Janeiro, *Diário de Notícias*, 10 de dezembro de 1930

Consequências das exposições escolares...

Fui visitar, certa vez, a senhora de um médico conhecido, com a qual [...] antes, travara conhecimento.

Quando a porta se abriu, ela mesma apareceu, para me receber. E as suas primeiras palavras depois dos cumprimentos foram estas:

– Vamos entrar para o meu salãozinho, porque esta saleta é um horror...

Está claro que imediatamente olhei em torno para compreender o que me dizia. Como sou míope, não vi bem... E ela, percebendo que não a entendia, apontou-me para o chão, para as paredes, para as janelas – e explicou:

– As clientes de meu marido mandam-lhe destas lembranças, pelo seu aniversário, pelos dias de festa, quando se veem curadas, – todas as vezes que julgam necessário prestar homenagem...

Então, como eu reparasse melhor, vi que a cortina da janela tinha um grande cupido, gordo e meio corcunda, levando na mão sem dedos uma comprida flecha torta.

A um canto, um alto abajur, de metal recortado, abanava, com a tênue brisa que entrava pela porta, as suas franjas de contas de todas as cores.

Mal se viam os móveis, tão recobertos estavam de almofadas amontoadas, em ponto de Veneza, em filé, em Richelieu, com forros sortidos – azul, rosa, amarelo, salmão etc. – e laçarotes em cada canto...

Tropeçávamos em montes de almofadas de veludo, de couro, de seda, – pirogravadas, douradas, bordadas, franzidas, – e umas eram redondas, outras quadradas, outras ovais, – mas todas igualmente detestáveis.

Fui levada meio à força para o salãozinho de cima, porque estava começando a achar graça naquela exposição de trabalhos "artísticos". E a minha amiga, que ainda naquele tempo não tinha grande intimidade comigo, fazia o possível para salvar a sua responsabilidade do meio daquele caos, – coisa que eu, até hoje, acho deliciosamente divertida...

– A gente não pode botar fora essas coisas – dizia-me ela... – Não se pode dar a ninguém... Porque um dia aparece a cliente, ou a amiga da cliente, ou o marido da cliente e vão procurar logo a lembrançazinha, que levaram para o doutor... E não só revolvem tudo, para a encontrar, puxando pelas pontinhas, como comparam, veem o lugar que o presente ocupa etc.

E a minha pobre amiga, ao chegar lá em cima, no seu salãozinho, teve um suspiro de alívio, certa de que a má impressão que eu tivesse tido na sala de espera desapareceria ali, naquele cantinho maravilhoso da sua casa, com meia dúzia de coisas belas pousadas com singeleza sobre dois ou três móveis sóbrios.

Pois esse gesto pelos cupidos corcundas carregados de flechas, pelas musas aleijadas, dedilhando liras disformes, pelas papoulas pintadas, pelos quadros com raminhos de massa, onde passarinhos de asa arregaçada namoram flores de miolo de pão, pelos biombos com pedacinhos de madrepérola, decalcados e deturpados de *L'Artisan Pratique*, – por essas coisas horríveis que profusamente se encontravam na sala de espera da minha amiga – começa por ser incutido nas crianças das escolas, e vai depois ser a delícia de algumas pessoas, para ser a tortura de outras...

Esse já seria, por si só, um enorme mal, admitindo que a sociedade exige que não se importunem os semelhantes...

Mas o desvio que se produz na educação artística de uma criatura, com esses arremedos de arte, com essas tolices enfeitadas, com essas aberrações da fantasia, com esse delírio mórbido da imaginação que costumam ser as almofadas e os paninhos decorativos apresentados nas exposições escolares!

Mas o veneno, que por meio disso se inocula, do apreço às coisas ínfimas, do amor à quinquilharia, à coisa dourada, à coisa supérflua!

Se me dissessem que para um trabalho desses se estimulavam as faculdades criadoras da criança, animando-lhe a imaginação, sugerindo-lhe a harmonia das cores e das formas...

Mas, se assim fosse, as exposições não seriam essas que andam por aí...

Seriam obra de educação, – e nunca essa manifestação tristíssima de vaidade mesquinha, que não se envergonha de se servir do nome das crianças para exibir a sua própria incapacidade...

Rio de Janeiro, *Diário de Notícias*, 11 de dezembro de 1930

Educação artística [II]

Alegrou-me ler os projetos de Villa-Lobos sobre o ensino da música, porque eu acredito que os artistas têm sempre uma visão mais ampla que os homens comuns, e, em matéria de educação, são eles os mais capazes de resolver com facilidade certos problemas que dependem mais da rapidez de intuição, que lhes é peculiar, do que desses indigestos estudos das criaturas de alma burocrática, e de vocação decidida para cortar com as tesouras da sua mediocridade o voo que levantam todas as intenções pressurosas.

Nós estamos saindo de um regime de nulidades convertidas em medalhões, infladas pela sua própria jactância e douradas exteriormente pelo louvor da incompetência. Parece que faz parte do novo regime corrigir essa decadência, – mesmo porque não se pode acreditar numa transformação da vida sem esse preliminar cuidado. Ora, uma das coisas mais características daquela velha situação era a facilidade com que qualquer um se fazia professor de qualquer coisa, abrindo cursos, fundando escolas, – ou, o que era muitíssimo mais frequente, arranjando uma dessas conquistas, por pistolão, de postos em que a sua inaptidão pudesse campear com a garantia cúmplice da vitaliciedade...

Se a adolescência não tivesse esse poder admirável de se reconstruir, de combater com veemência e quase sempre até com sarcasmo a inépcia dos professores de acaso, talvez estivéssemos em condições de não poder crer no progresso do mundo. E digo do mundo porque sei que o mal não é só do Brasil. A adolescência defende-se com heroísmo do aniquilamento; mas é triste que a força que emprega em se defender não seja empregada em se modelar com definitiva beleza, numa serena formação, rica de motivos criadores.

No que se refere à educação artística, não se pode dizer que já tenha sido, sequer, estudada, entre nós, criteriosamente, – e nem mesmo se poderá afirmar que existe, porque o ensino que por aí corre com esse nome é alguma coisa anacrônica, monótona, imóvel, feita de moldes e superstições, – em visível contradição com a própria arte, que é uma revelação dinâmica, e um movimento contínuo.

Se nós perguntarmos aos artistas de verdade que possuímos como foi que se realizaram, eles nos dirão que se fizeram sozinhos, lutando contra preconceitos e grupinhos, sofrendo perseguições, destruindo obstáculos para poderem salvar um sonho enérgico da guerra amarga do próprio ambiente artístico, da própria escola, dos próprios professores.

Se uma ou outra personalidade se salva, quantas outras, por essas mesmas circunstâncias, naufragam, podendo, no entanto, ter tido um outro destino, dentro de outras possibilidades?

Os professores, estou certa, ensinaram como se misturavam as tintas, como se analisavam os períodos, como se dividiam os compassos... Mas uma coisa não podiam ensinar: como se é artista... Já é convencional dizer-se que os artistas nascem feitos. Será mesmo assim? Eu desconfio muito das verdades preestabelecidas em conceitos como esse. Os artistas que "nascem feitos" tiveram, apenas, a sorte de possuir um ambiente favorável à sua evolução. Uma criança isenta de deformações é a coisa mais poética do mundo. Dentro dela existem concepções interessantíssimas, que são outras tantas fórmulas de arte ainda não definidas. Tudo isso se mata, pelos erros de educação.

E é por isso que eu dizia no princípio que me alegrava com os projetos de Villa-Lobos. Os artistas (e é preciso não os confundir com os profissionais das belas-artes) são as únicas pessoas capazes de traçar um plano de ensino, dentro das várias especialidades, para que venhamos a ter uma educação artística que ainda não possuímos.

Essa ideia de uma academia – digamos assim – de *ciência* musical, e um instituto – por exemplo – de *arte* musical, já é muitíssimo interessante.

Isso como organização. Mas há que meditar sobre a *pedagogia* musical. Já se pensou, aqui, em como administrar noções de música de acordo com a idade, com a predileção e as condições dos alunos? E isso é uma das coisas mais importantes, em tal ensino. Por hoje, fica a pergunta. Oportunamente, voltaremos ao assunto.

Rio de Janeiro, *Diário de Notícias*, 2 de janeiro de 1931

Exibições infantis

Não há dúvida de que é muito agradável ver-se uma criança em atividade artística, dizendo versos, dançando, realizando uma representação teatral, – como, aliás, está no próprio programa da Escola Nova, e é do próprio interesse criador da infância.

Mas o que costuma ser verdadeiramente lamentável é o repertório que escolhem para certas exibições infantis, e nas quais se revela toda a incompreensão do que é na verdade a criança, bem como toda a falta de atenção que aqueles que se julgam ótimos pais ou excelentes professores dão à sua formação espiritual, tragicamente posta à prova em tais circunstâncias.

O leitor já terá visto cenas dessas, em que inocentes crianças sobem a um tablado para recitar coisas detestáveis, ou cantar os maiores absurdos, com as mais inacreditáveis atitudes, os mais escandalosos gestos, as mais deploráveis inflexões, como pequeninas criaturas pervertidas, mostrando aos espectadores uma triste malícia que não é sua, que lhes foi ensinada por gente sem escrúpulos ou sem consciência, e que, desgraçadamente, encontra no auditório uma complacência comovida que tem o efeito de encorajar ainda mais as tristes tendências ou as orientações detestáveis dos adultos que por detrás delas estão agindo.

Essa complacência dos auditórios é uma das coisas mais terríveis na formação da criança, em tais circunstâncias.

Se ela não interviesse, com a sua influência ocasional, e de tão fatal resultado, talvez pouco a pouco, diante da indiferença ou da hostilidade do público, se fosse fazendo compreender a novicidade de tais espetáculos.

Mas a complacência vem, às vezes, até com certa tristeza, como para enfeitar com uma delicada compaixão a ingênua que murmura tolices ou declama disparates com uma alma artificial que lhe emprestam e que é um infinito perigo para a sua própria alma ainda ignorada.

Contra esse perigo que assim se põe ao alcance da criança, contra essa terrível falsidade que afronta a incapacidade de defesa, de quem se acha, confiantemente, entregue a esse mundo de adultos que desatentamente vai impelindo o seu destino para rumos facilmente trágicos, é que se deve levantar a opinião dos auditórios benevolentes, para que a benevolência do seu aplauso não continue a ser um incentivo a espetáculos tão desorientadores para a infância.

Ainda há pouco tempo assisti a um desses lamentáveis espetáculos em que uma menina se agitava ridiculamente, imitando atitudes intencionais de brejeirice e intercalando na canção maliciosa que cantava pilhérias de sabor muito duvidoso, para um salão repleto de pessoas cultas, inteligentes, e dessa situação social que se reputa *boa*.

Finda a dolorosa exibição, o público desatou palmas calorosas à pobre criança, que as agradeceu requebrando os olhos pintados, sorrindo como uma atriz de segunda ordem, e fazendo todas as bobagens que lhe tinham sido ensinadas para efeitos do palco.

Eu, que não a aplaudi, que não a aplaudiria, que não aplaudirei nenhuma outra em tais condições, fiquei perguntando para mim mesma:

– Que aconteceria se todos tivessem ficado de mãos imóveis, sem agravar com a sua complacência o destino dessa criança?

Rio de Janeiro, *Diário de Notícias*, 21 de junho de 1931

Educação musical

Para um povo como o nosso, de temperamento musical tão definido, o movimento de expansão artística que atualmente vem realizando a Associação Brasileira de Música deve ser olhado com simpatia, boa vontade e compreensão.

As conferências, por exemplo, que essa Associação vem promovendo, sobre cultura musical, estão sendo, neste momento, uma demonstração de como se pode, com entusiasmo e inteligência, concorrer para a cultura do povo, desde que esse povo contribua também com uma certa porção de interesse para aproveitar o que se lhe oferece.

Reunir um grupo de artistas, dentro de uma especialidade, e fazê-los trazer a público os seus pontos de vista, para um auditório disposto a compreender as particularidades de cada um, é, sem dúvida, obra destinada a resultados profícuos, pois facilita ao auditório visões diferentes de um mesmo assunto, explanado com proficiência por personalidades todas dignas de acatamento.

Põe-se de parte, assim, a imposição de ideias pessoais, tão comum, desgraçadamente, em todos os tempos, pois se é verdade que cada conferencista pode animar em si o desejo muito humano de obter adeptos ou, pelo menos, acumular simpatias para as suas teorias, não é menos verdade que esses desejos terão fatalmente de se contrabalançar, dadas a competência, a segurança, e a força de sugestão de cada conferencista...

Há dois dias, por exemplo, Charley Lachmund, com aquela fina estesia que o caracteriza, discorreu com serenidade, elevação e nobreza sobre a música clássica, e fez a apologia de Bach, Haydn, Händel, Mozart, Beethoven...

Qualquer dia, virá alguém falar dos românticos, e, com todos os seus mais sinceros argumentos, colocará a música romântica na altura em que Lachmund deixou a clássica...

Mais para adiante virão os modernos. E falarão também de acordo com a sua sensibilidade.

Isso é uma ótima lição de transigência. Por aí se vê como a verdade e a beleza são coisas relativas. Como é inútil estarmos querendo que todos pensem e sintam como pensamos e sentimos nós. É um exemplo magnífico, para essa tolerância que a Escola Nova tão bem frisa, quando reconhece a experiência como a única fórmula a que podemos recorrer quando tentamos firmar qualquer conceito.

Inútil estar querendo formar padrões humanos. Inútil estar sonhando ainda com criaturas formadas de acordo com tipos apriorísticos, imaginados pela vaidade da nossa pobre fantasia ou a conveniência dos nossos interesses.

Somos coisa pouca... Convençamo-nos disso. Somos coisa pouca diante do ritmo da vida. E ele fatalmente nos absorverá...

A Associação Brasileira de Música está, pois, com este programa que organizou para difusão do preceito elementar de que não devemos seguir este ou aquele caminho, por onde vão estas ou aquelas pessoas ilustres, mas o caminho que sentimos realmente nosso, que for a expressão da nossa realidade. Porque nós não somos aquelas pessoas ilustres, por muito ilustres que sejam... Somos nós, antes de tudo. Com as nossas necessidades vitais, imperiosas, vivas, autênticas. E isso é uma preciosa lição de independência, que insensivelmente irá sendo aproveitada.

Rio de Janeiro, *Diário de Notícias*, 11 de julho de 1931

Sugestões do Teatro da Criança

Eu estava ontem assistindo aos ensaios do Teatro da Criança, e uma senhora que não me conhece aproximou a sua cadeira da minha e disse-me com um sorriso de felicidade:

– Veja... Estas criancinhas como estão contentes! Como há camaradagem neste convívio de alguns dias em que se prepara um espetáculo. Todas estão fazendo o seu papel o melhor que podem... E todas se procuram ajudar... E entre elas não há antipatias, nem má vontade, nem inveja...

E ficou sorrindo, como se ainda continuasse a dizer:

– Veja esta sociedade de crianças como é muito mais perfeita do que a nossa! Veja como estão solidárias na alegria e nos contratempos... Como são dóceis nas correções... Como nenhuma pretende ser mais do que é... Como acham todos os papéis bonitos, todos os vestuários encantadores... Como isto é puro e comovente... E como estamos já longe desta realidade primitiva e belíssima! Como temos tanto que aprender com estas pequenas criaturinhas...

Os ensaios continuaram, diante dos meus olhos.

As palavras continuaram também nos meus ouvidos.

Esta senhora que me falou não me conhece. Não suspeitava que os seus pensamentos poderiam vir parar numa coluna de jornal.

Também não sei quem ela é. Possivelmente não nos encontraremos tão cedo, depois deste espetáculo... Mas seus pensamentos precisam ficar na memória dos leitores, porque eles são um sintoma da compreensão que pouco a pouco vai tendo o mundo infantil, o que é sem dúvida um excelente prognóstico para o futuro da humanidade.

Esta camaradagem evidenciada no Teatro da Criança é aquela mesma que os educadores modernos se esforçam por obter no ambiente escolar, em que muitas vezes já as crianças se apresentam esquivas umas às outras, levando para seu primeiro convívio uma quantidade enorme de preconceitos que no lar se desenvolvem às vezes perniciosamente.

Pôr as crianças em contato umas com as outras, despertando-lhes os impulsos de fraternidade tão fáceis de descobrir no coração infantil, oferecer-lhes um momento de aproximação agradável e inesquecível, proporcionando-lhes ao mesmo tempo o desenvolvimento das faculdades estéticas, com uma suave naturalidade, tudo isso é do interesse da nova educação. Tudo isso faz parte do grande programa por que se batem aqueles que desejam um mundo melhor, sem, no entanto, o quererem forjar a golpes de violência, de despotismo ou de opressão.

O Teatro da Criança é neste momento uma oportunidade para os pais e educadores refletirem sobre essas pequenas coisas interessantíssimas que, por serem pequenas, não deixam de ter consequências infinitas. E é por não cuidarmos delas devidamente, no instante oportuno, que mais tarde nos encontramos em frente de um mundo que nos desgosta e que, infelizmente, já não podemos corrigir mais...

Rio de Janeiro, *Diário de Notícias*, 12 de julho de 1931

Depois do espetáculo...

Depois deste espetáculo de domingo, pode-se dizer com segurança que o Teatro da Criança do professor Pierre Michailowsky é a mais bela esperança que possuímos de realização artística infantil.

Um golpe de vista ao programa nos explicará imediatamente os intuitos do distinto artista. A primeira parte foi toda confiada aos pequeninos. Eles se apresentaram aos seus companheirinhos de idade interpretando pequenas coisas deliciosas: lendas, fábulas, bailados imitativos ou característicos. Na segunda parte, alunos-adultos e gente grande amiga das crianças vieram trazer também, àquele auditório encantador, aquilo que puderam encontrar de melhor para lhe oferecer com a sua maior sinceridade e o seu maior carinho.

Eu sei que o professor Michailowsky sonha com alguma coisa ainda mais bela que este espetáculo de domingo. Sei que, na sua imaginação fervorosa, ele deseja um Teatro da Criança, mais completo e mais perfeito. E tão séria é a sua preocupação educacional, e tão inteligente, que teve o cuidado de formular um pequeno questionário a ser preenchido pelas crianças, a fim de melhor concluir acerca do seu interesse, quanto ao repertório.

Li algumas dessas respostas. E ouvi, também, diretamente, alguns comentários à festa, suficientes para revelar a profunda, a intensa alegria que sentiram as crianças que presenciaram a encantadora festa.

Não é muito difícil alegrar as crianças. Para elas, todas as coisas são novas e, por isso mesmo, atraentes.

Um pouco de cor, um pouco de luz, um pouco de movimento, um pouco de som – e esse pequeno mundo se anima, se entusiasma e se proclama sinceramente feliz.

Mas alegrar a criança educando-a, elevando-a, – isso já é outra coisa, diferente, e muito mais difícil.

Alegrá-la sem descer à banalidade. Alegrá-la mostrando-lhe o aspecto mais belo, mais puro, mais artístico das coisas. Alegrá-la espiritualmente: não, apenas, fazê-la rir...

E foi isso que se verificou neste espetáculo do teatro de Pierre Michailowsky.

O fato de alguns dos nossos grandes artistas terem incluído seu nome no programa, desejosos unicamente de cooperar nesta festa de arte e educação, dando-lhe o melhor do seu esforço e da sua boa vontade, é mais uma nota a registrar com agrado. Lorenzo Fernandez e J. Otaviano não se sentiram diminuídos, como grandes autores que são, em curvar-se até a infância para lhe oferecerem produções suas. Fritz e Correia Dias animaram o espetáculo com verdadeiro prazer, e com toda a sincera alegria de colaborar em obra tão interessante. E também não ficaram menores, depois...

Como é bom esperar que pouco a pouco, percebendo cada vez melhor a orientação que este Teatro da Criança deseja ter, os nossos grandes poetas, os nossos grandes escritores, os nossos grandes músicos, pintores e artistas em geral venham a sentir alegria igual, e esse desejo de servir à infância brasileira, não tão feliz ainda quanto a de outros países, em que os maiores nomes da filosofia, e da ciência e das artes desde já se acham completamente a seu serviço!

Rio de Janeiro, *Diário de Notícias*, 14 de julho de 1931

O Salão

O Salão deste ano apresenta uma novidade grata às pessoas com largueza de compreensão. Na sua comissão organizadora figuraram cinco nomes moços, e, deles, um arquiteto, um escultor, dois pintores e um poeta.

Parece que nem todos são da minha opinião, mesmo entre os expositores. A ausência de uma porção de figuras esperadas, nesta exibição, e certos queixumes em surdina querem fazer acreditar que ainda há gente que só admite o artista com a cabeleira comprida e suja, a roupa desleixada e esse ar de antiguidade célebre que fixa o exotismo do tipo do artista mais do que a intenção da sua obra, e o seu valor.

Mas, além disso, há uma coisa que parece ter desagradado: a inclusão de um poeta numa comissão de belas-artes. Talvez se fosse um poeta parnasiano, acadêmico, cheio de lugares-comuns e de preocupações pronominais, o descontentamento fosse menor. Trata-se, porém, de Manuel Bandeira. Por isso, o desatino é mais completo: porque, numa opinião muito divulgada, a poesia já abriu falência no mundo, há muito tempo. E, no Brasil, desde que Bilac escreveu seu derradeiro soneto.

Nada há mais interessante para um educador que a análise desse estado de confusão em que se encontram os próprios artistas a respeito da sua realidade, e do fato artístico. Em primeiro lugar, é curioso sentir como a arte deixou de ser uma ideia geral, que toma aspectos diferentes conforme as técnicas várias a que se cinge, – para ser, na concepção de muitos artistas, essa mesma técnica (não também no sentido modernista que a valoriza), isto é, uma habilidade especial de aplicar tintas em cima de um pano ou talhar num bloco de mármore a fisionomia bem parecida de um certo modelo.

Chega-se a ficar constrangido em escrever o que assim se pensa. Mas a verdade desse pensamento se manifesta plenamente na aversão, no ódio mesmo que separa os artistas em grupos, quer segundo a arte a que se dedicam, quer, dentro da mesma arte, segundo as tendências que os caracterizam.

A natureza criadora da arte, o seu fundo poético, com os mil sentidos contraditórios que a poesia tem e a psicologia explica suficientemente, – isso passa despercebido em meio a ataques e represálias.

A Associação de Artistas Brasileiros, que realizou, de certo modo, essa coordenação dos elementos artísticos, reunindo num mesmo núcleo pintores, músicos, poetas, escultores, arquitetos, não se livrou desta crítica que há dias ouvi, da parte de um dos seus sócios: "Ah! Qualquer dia saio de lá... Aquilo está ficando muito enjoado, com tanto músico..." Tratava-se de um pintor... Os músicos talvez também se sintam mal com a aproximação dos pintores... Enfim...

Há tempos, já tratamos nesta coluna da urgência da educação artística, ainda mal compreendida entre os adultos de hoje, que creem nas respectivas especialidades e desconhecem da mais lamentável maneira o que existe no campo correspondente das outras artes. Essa limitação cultural prejudica profundamente o próprio artista, pois em cada ramo artístico existem, na verdade, elementos de sugestão particular, de cuja contemplação e compreensão se podem enriquecer mutuamente, como derivações que são de um mesmo impulso poético original.

O julgamento de um artista em obra que não é propriamente a da sua especialidade tem qualidades excepcionais de valor, desde que esse artista seja, realmente, representativo dentro da sua técnica. É o caso de Manuel Bandeira, por exemplo.

Os nossos Apelles e Praxíteles devem, pois, fazer um esforço de simpatia e reconhecer que é interessante esse movimento de cooperação representado nesse grupo de moços que organizou o Salão deste ano. Pena foi que os nossos clássicos não tivessem comparecido. O Salão está heterogêneo como a própria vida. Apresenta de tudo. Há Bernardelli e Cícero Dias...

Eu sei que com isso é que muitos não se conformam. Mas isso é que é admirável. Trata-se de uma *exposição*, não é verdade? Numa exposição, a única coisa a fazer é *expor*. Seleção? Mas que espécie de seleção? A seleção é trabalho para o visitante! No dia da inauguração ouvi um cavalheiro respeitável dizer que a melhor coisa do Salão era aquele retrato de Juarez Távora, estudando o mapa... E outro, não menos respeitável, entre Brecheret e Cícero Dias, suspirou: "Ah! terra sem polícia!..." E eu estava, precisamente, achando Brecheret maravilhoso e Cícero Dias encantador... Cada um faz a sua seleção como pode. Mas é preciso ter material para selecionar. A exposição oferece-o. É assim que se constrói a experiência humana. É assim que se faz, modernamente, obra de educação, não só artística, mas também geral. E por isso é que ninguém se entende. Porque, entre os artistas, por exemplo, há quem teime em acreditar que em pintura não há nada como um retrato bem pintadinho (ou uma paisagem, dá no mesmo...) com uma formidável moldura de veludo e ouro... Entre os professores também há quem esteja sinceramente convencido de que se deve ensinar o catecismo às crianças... Despotismo e ignorância.

Rio de Janeiro, *Diário de Notícias*, 6 de setembro de 1931

Exposições escolares

O diretor de Instrução do Estado do Rio acaba de baixar a seguinte circular:

> A fim de que cessem hábitos e praxes irregulares que esta Diretoria formalmente condena, recomendo-vos a expedição das seguintes instruções, que deverão ser observadas pelo professorado sob vossa jurisdição:
> a) Não permitir que, sob o pretexto da ultimação de trabalhos manuais para as exposições, se prolonguem pelo período das férias a obrigação do comparecimento de adjuntos e alunos aos institutos de ensino;
> b) Inaugurar as referidas exposições, com solenidade ou não, de 14 até 20 de novembro, o mais tardar, com os trabalhos concluídos durante o período letivo;
> c) Somente realizar festas de encerramento das aulas na sede das escolas;
> d) Não tolerar que os trabalhos expostos pelos alunos sejam confeccionados por outras pessoas, prática essa prejudicial, porque sobre não ser educativa habitua a criança a falsear a verdade; podendo, no entanto, ser admitidos trabalhos de adjuntos, desde que dos mesmos conste essa circunstância declarada por escrito.

Como se vê, *até* no estado do Rio as exposições escolares já se tornaram tão lamentáveis que as autoridades chegam a intervir com a força das circulares para impedir um dos mais deseducativos aspectos que a escola pode oferecer à criança, e em que não se sabe o que mais condenar – se o espírito de fraude, se o espírito de vaidade, nessa mistificação geral em que todos veem a mentira e todos pactuam tacitamente com ela.

Há um ano, precisamente, comentávamos aqui esse desagradável espetáculo das exposições de fim de ano, com trabalhos de valor duvidoso, feitos por mãos problemáticas, sob a responsabilidade de inocentes nomes, admirados, decerto, com o seu aparecimento inesperado...

Citamos até o projeto do sr. Gamba, no Uruguai, de supressão de exposições escolares, à vista dos mesmos lamentáveis erros que, em seu país, como no nosso, se verificavam.

Infelizmente, a situação do ensino passou a ser de tal modo precária, sustentou-se de tal forma num equilíbrio difícil, entre a vida e a morte, que não era possível esperar nenhuma providência a não ser para agravar o próprio estado de coisas.

Mas agora os tempos são outros.

O professorado, conhecendo o diretor de Instrução que neste momento é responsável pela obra educacional aqui no Distrito, conhecendo não somente o seu valor como também através da divulgação da imprensa, os seus pontos de vista e a sua seriedade de educador consciente, há de sentir-se constrangido em insistir nas exposições, este fim de ano, principalmente para não demonstrar as transigências a que muitas vezes é levado, embora a contragosto, mas que sobre ele recaem, dando-lhe uma culpa de que intimamente se penitencia...

Esse professorado, aproveitando o ambiente de transformação que agora se prepara, e que é uma esperança fortíssima para os seus propósitos de acertar, veria sem dúvida com alegria uma circular qualquer, da Diretoria de Instrução, que lhe oferecesse uma oportunidade de não concorrer a essas demonstrações tristíssimas dos mostruários escolares, no fim do ano.

Todos sabem que a competição dos distritos, das escolas etc. é que determina quase sempre essa irregularidade de expor objetos em desacordo com a intenção educativa, tanto pelo seu valor intrínseco como pelo processo da sua execução.

Qualquer fórmula, pois, que viesse salvar o professorado da difícil posição em que se sente, diante do dr. Anísio Teixeira, seria, com toda a certeza, recebida com verdadeira satisfação, e poderia constituir o mais belo estímulo para exposições futuras, realizadas conscientemente, e pondo em evidência a finalidade mais pura da escola moderna.

Rio de Janeiro, *Diário de Notícias*, 30 de outubro de 1931

Cinema deseducativo

O mundo inteiro se vem interessando pelo cinema educativo. Todos sabem que o cinema é um fator importantíssimo nas realizações da Escola Nova. O interesse pelas películas, a apresentação rápida dos assuntos, a facilidade de aprender vendo, todas as qualidades de sedução e de persuasão que caracterizam a projeção cinematográfica não podiam deixar de ser bem aproveitadas pelos educadores para completarem suas aulas, para deleitarem seus alunos, e para lhes oferecerem horizontes novos em todos os assuntos, permitindo-lhes uma vastidão de cultura mais rápida de adquirir em quadros completos que nas letras numerosas e nem sempre vívidas dos livros.

A escola de hoje tira todo o partido possível do cinema, que passou a ser material escolar imprescindível e de uma importância cada vez mais comprovada.

Desgraçadamente, porém, o cinema, que é um veículo de cultura, de instrução e de educação, apresenta também os seus aspectos nefastos, fora da escola, mas nem por isso menos perigoso, porque tudo quanto cá fora contradiz a escola é uma arma insidiosa, devastando o trabalho árduo e sério dos professores conscientes.

A vida que se opõe à escola é um atentado dos adultos contra a infância e a adolescência em formação.

Permitir que a rua e o lar vão destruindo todos os dias o que todos os dias a escola pretende construir é um crime em que ainda não pensaram talvez os governos. De outro modo não se compreende o desequilíbrio desvairante que a cada passo se verifica em fatos que deviam estar controlados por alguma autoridade, uma vez que se prendem diretamente aos interesses do povo, sem restrições que isolem os jovens da sua contaminação.

Os espetáculos dos teatros e cinemas estão nesse número. É verdadeiramente lamentável o que frequentemente se projeta nas telas cinematográficas. E, salvo exceções heroicas, o que se leva à cena com mais sucesso é de tal ordem que as pessoas educadas têm medo dos palcos e dos atores.

Ora, as crianças e os adolescentes não estão a salvo desses atentados contra a sua formação. Não há escrúpulo nenhum, geralmente, em se levar

Crônicas de educação 4 • 55

uma criança a um cinema ou a um teatro, sem se conhecer o espetáculo, previamente. E as coisas mais lamentáveis ocorrem diante dos olhos curiosos e sensíveis das mais encantadoras criaturas para quem a beleza devia ser o único estímulo e o constante ambiente.

Agora mesmo recebi de um "assíduo leitor" um protesto, nesse sentido. Junto com o protesto, enviou-me ele um recorte de jornal com dois anúncios de filmes que escandalizam. Talvez se o nosso ilustre colega, o dr. Primavera, os tivesse visto, não os deixasse sequer sair.

Um, depois do título, diz assim: "Se o marido ganhava mil dólares por mês, como poderia ela usar vestidos e joias que custavam dez vezes mais? A explicação desse mistério da vida das grandes cidades tereis neste filme."

Ora, pode ser uma coisa muito inocente. Basta que a mulher produza com o seu trabalho o preço dos seus vestidos e joias, embora joias e vestidos não sejam, propriamente, a mais interessante maneira de empregar o resultado sadio do trabalho. Mas não resta dúvida de que aí vai uma porção de sugestões para as lindas cabecinhas malucas que andam por este mundo sem saber ainda por quê.

O outro filme arrasta uma outra pergunta lamentável: "Como caçar maridos milionários?" – parece até irmão do primeiro, ou sua continuação. E talvez seja...

O "assíduo leitor", consternado com os anúncios, apela para mim. Eu apelo para quem é responsável por essa publicidade calamitosa, que vai desde o nome de um filme até a descrição das tragédias passionais.

Creio firmemente na influência profunda e fatal da imprensa. No dia em que não se anunciarem filmes ambíguos não haverá mais filmes ambíguos nos cinemas. No dia em que não se contar a história dos crimes, como quem faz romance em fascículos, o número de crimes imediatamente diminuirá.

Rio de Janeiro, *Diário de Notícias*, 31 de outubro de 1931

Uma iniciativa útil

Os professores José Alexandre Teixeira e Claudino de Souza Martins estão se dedicando, neste momento, a uma iniciativa muito interessante: um cinema infantil que percorre as escolas primárias, levando às crianças um pouco de alegria preparada com interesse e boa vontade – grande coisa já para o nosso meio, de sempre tão escassos recursos.

Em verdade, o cinema educativo ficou, entre nós, numa fase de verdadeira suspensão, depois das tentativas da administração Fernando de Azevedo, devido, naturalmente, à falta de recursos financeiros em grande parte, mas, noutra, pela dificuldade também de películas adequadas.

O trabalho desses professores está procurando atender, justamente, a essas dificuldades preliminares.

Tendo organizado uma filmoteca regulada pelas modernas preocupações pedagógicas, composta de filmes instrutivos e recreativos, vão esses professores, semanalmente, às escolas municipais, quer nos dias de aula, quer às quintas e domingos, quando por solicitação das diretoras.

Além dos filmes que possuem, sobre assuntos instrutivos em geral, esses professores desejam filmar, futuramente, cenas de que participem as próprias crianças, festas, representações etc. – e organizar, por fim, "matinês" escolares às quintas e domingos, capazes de interessar as crianças, atraindo-as para esses espetáculos e desviando-as de outras exibições quaisquer, menos educativas.

Não deixa de ser curiosa a impressão desses professores acerca dos efeitos das projeções. Verificaram, por exemplo, uma supersensibilidade nas meninas, e uma preferência geral pelos desenhos animados e cenas de agitação.

A iniciativa vai-se desenvolvendo pouco a pouco. Da insignificante cota de $200, com que concorrem os alunos para o ingresso, a metade é oferecida à Caixa Escolar.

E nessa ainda modesta empresa, animada com tão boas intenções, para um dos aspectos da educação infantil que mais interessam à escola moderna, pode-se louvar a ação paciente e fervorosa dos que trabalham por alguma inquietude de espírito, para alguma finalidade mais alta e mais bela, – embora sabendo e sentindo que tudo em redor é difícil, mas que é preciso resistir, para triunfar, afinal.

Rio de Janeiro, *Diário de Notícias*, 21 de novembro de 1931

Educação artística [III]

A Diretoria de Ensino de Montevidéu acaba de publicar um suplemento artístico, declarando, no seu programa, que sempre lhe parecera incompleta a obra cultural realizada pela *Enciclopedia de Educación*, enquanto "*careciera de una amplia información artística, pues ninguna obra que excluya estas nobles disciplinas del espíritu humano puede ser considerada integralmente educativa*".

A verdade da arte como fator de educação é já uma verdade tão antiga e insofismável que não surpreende vê-la expressa pelos que se interessam realmente pelos problemas humanos.

Mas a sua apresentação sob uma forma concreta já é coisa mais difícil de ver. E isso é o que surpreende desde logo neste primeiro número do suplemento de arte da *Enciclopedia de Educación*.

Há, porém, outra coisa que surpreende mais.

O suplemento se divide em duas seções distintas, uma revisão da arte antiga e uma informação da arte contemporânea.

Na primeira vem Schuré, Geffroy, Henriot, com magníficas páginas de estudo sugestivo, coloridas pelo tom poético dos seus autores e copiosamente ilustradas com reproduções de quadros, esculturas etc.

Não é isso o que surpreende.

Nem na informação contemporânea, o artigo sobre o momento arquitetônico na URSS, nem os outros sobre a casa-habitação e escola ao ar livre dos arredores de Los Angeles, ou o cinema "Universum", de Berlim, com umas fotografias arrojadíssimas que, depois do retrato da Gioconda e da imensa maravilha de Nakhthorheb e do rei Sobekhotep, deixam-nos os olhos suspensos do encanto de ver como se pode ser para sempre eterno, sendo-se, para sempre, diferente e inesperado.

Mas o que surpreende é que este suplemento de arte, no seu primeiro número, ceda a sua primeira página a esse extraordinário poeta que foi Khalil Gibran, o sírio exilado em terras da América, cantando com uma voz que, também, sendo de agora, tem as mais arcaicas ressonâncias e as mais divinas; esse homem que, entre o gosto de ilustrar e o gosto de cantar, deixou na terra, para todas as criaturas, o gosto de viver uma vida mais alta que a vida, pondo um beijo perpétuo de beleza sobre a face vulgar e esquecida de todas as coisas.

Ainda não fez um ano que Khalil Gibran morreu. O homem excepcional deixou este mundo muito simplesmente, com uma úlcera como qualquer úlcera, num hospital como qualquer hospital.

Mas, antes de deixar o mundo, tinha lançado raízes de pensamento na alma dos habitantes do Oriente e do Ocidente.

O poeta do Líbano, mais próximo de Tagore que Naidu, é uma espécie de profeta novo para a obra de união e pacificação dos dois mundos do Oriente e do Ocidente.

E é curioso que este suplemento de arte tenha reproduzido justamente o seu poema "O profeta", em que, entre a maravilha sem fim da sua visão de todas as coisas, há esta maravilha de visão sobre o mundo das crianças:

> E uma mulher, que apertava ao peito uma criança, disse:
> "Fala-nos das crianças."
> E ele falou:
> "Vossos filhos não são vossos.
> São filhos do próprio anseio da Vida.
> Vêm através de vós, mas não de vós.
> E, embora estando convosco, não vos pertencem.
> Podeis dar-lhes vosso amor, mas não vossos pensamentos.
> Porque eles têm seus próprios pensamentos.
> Podeis dar abrigo a seu corpo, mas não à sua alma.
> Porque sua alma habita a casa do amanhã, que não podeis visitar nem
> [mesmo em sonhos.
> Porque a vida não torna atrás, nem se detém com o ontem.
> Vós sois os arcos de onde vossos filhos são arrojados como flechas vivas.
> O arqueiro vê o alvo no caminho do infinito e curva-os com Seu poder
> [para que Suas flechas possam ir velozmente e longe.
> Deixai que o vosso arqueamento na mão do arqueiro seja para a alegria.
> Porque assim como Ele ama a flecha que voa, também ama o arco que
> [está firme.

Admira-me ver aqui este maravilhoso Khalil Gibran, porque os grandes poetas não costumam ser divulgados tão cedo. E ele, que é tão de sempre e muito de hoje, morreu ainda no começo do ano passado, e tinha nascido em 1883.

Rio de Janeiro, *Diário de Notícias*, 29 de janeiro de 1932

Asas de borboletas

Vão mandar para o sr. Pio XI um quadro feito de asas de borboletas. E isso dá margem às mais tristes reflexões sobre os sentimentos católicos, que constantemente se denominam cristãos.

Não se precisa ser cristão, sequer, para achar detestável uma indústria que vive do massacre das maravilhosas criaturinhas que enfeitam as florestas e os jardins do mundo, e às quais nem se pode atribuir a nocividade que serve de justificativa a outros crimes do mesmo gênero.

Enquanto os católicos se vão deliciar com o seu quadro, mostrando-o, naturalmente, às suas crianças, como uma obra-prima de bom gosto e de piedade, o esforço educacional baseado apenas na dignidade humana, para acautelar a infância da prática de todos os crimes, – sente-se contrariado pela autoridade das famílias, que, sem o saberem, causam, por essa simples contradição, um estranho desequilíbrio no processo de formação da mentalidade e do caráter de seus próprios filhos.

O caso do quadro faz pensar nos museus escolares, e em certas professoras que, interpretando à sua moda a escola ativa (moda muito católica, segundo se conclui), resolvem fazer até aulas de desenho e modelagem com o sacrifício de passarinhos, cigarras, e outras vidas bonitas que não fugirem a tempo do alcance das mãos humanas...

Os bichinhos mortos dos museus são uma das coisas mais horríveis que se podem mostrar à criança. Uma borboleta, um pardal ou uma cigarra no meio das árvores, no seu ambiente de vida, vivendo, realmente, na sua encantadora liberdade, nada tem a ver com a sua pobre figura espetada num alfinete ou empalhada em cima de pãozinho, por detrás de um vidro geralmente sujo, entre minerais pretensiosos com o seu cartãozinho de visita colado como os dos seus colegas dos museus importantes.

Fazer uma criança desenhar um animal morto é, desde logo, demonstrar um falso conhecimento da finalidade do desenho. A expressão de uma vida está menos nos seus caracteres estáticos que no ritmo com que se equilibra no espaço e no tempo. Uma borboleta é um voo e uma cor. O cadáver dos museus não é nada disso. Mas as crianças andam pelas ruas de elástico em punho, caçando borboletas e passarinhos para se aproveitarem deles nas suas aulas...

E a mesma professora que faz isso é capaz de, na hora de falar em moral, recomendar precisamente o contrário...

O sr. Anísio Teixeira, que é uma pessoa verdadeiramente interessada pelas coisas de educação, e que se acha em contato tão direto com as nossas escolas, vai ter, decerto, oportunidade de verificar com os seus próprios olhos – se ainda não o verificou – a triste realidade da escola que, querendo ser "viva", à força de o querer se extravia pelos caminhos da morte.

Em nome de todos os pobres bichinhos indefesos que de março em diante passarão a correr perigo, agradecemos desde já qualquer providência a respeito.

Mesmo porque, se as providências não vierem, com o pernicioso exemplo do cardeal (ah! se ele fosse cardeal de penas!...), quem sabe lá quantos quadrinhos aparecerão no fim do ano, com o Pão de Açúcar, o Corcovado e as demais belezas adjacentes, tudo de asas e plumas...

Rio de Janeiro, *Diário de Notícias*, 16 de fevereiro de 1932

Orfeões escolares

Villa-Lobos está organizando os orfeões escolares. Ele disse que o Brasil deve cantar. E o Brasil é principalmente a escola. É o povo que se principia a fazer, nessa lenta formação de cada dia, a pátria que nasce de acordo com o ritmo que a educação vai criando; mundo novo que surge de horas distraídas, quando o trabalho reúne a infância que ainda não se conhece a si mesma, e quase só por adivinhação vai tomando lugar no seu destino, incorporada ao movimento unânime do universo.

Quando, outro dia, Villa-Lobos falou às professoras sobre os seus planos, e a sua finalidade, a face melancólica e dolorida do músico que é uma das nossas glórias plasmou subitamente uma expressão de entusiástica esperança, e a sua voz foi um apelo ardente ao coração e à inteligência dos que o ouviam, para realizarem com ele essa obra de cultura artística de que o Brasil desgraçadamente tanto se tem descuidado, malgrado possuir um número de vocações e de realidades dessa natureza que por si só bastaria para significar o valor de uma civilização.

Até aqui não tivemos educação artística, nas escolas primárias. O desenho, até a Reforma Fernando de Azevedo, foi considerado uma disciplina de secundária importância: a escola é para aprender a ler, escrever e contar, na opinião dos especialistas em cruzadas de alfabetização... Eles não sabem, porém, que às vezes dá mais satisfação a uma criança traçar, num papel, uma flor que um algarismo... E que no desenvolvimento de uma atividade que traz, realmente, alegria, há mais proveito, e mais poder educativo que no automatismo de uma obrigação cumprida a contragosto...

Além do desenho, – precário desenho infantil, que ainda não foi visto com os olhos necessários que lhe distinguissem a beleza original e o gosto primeiro de criação, – que mais se tem feito de educação artística nas escolas?

– Que é que as senhoras têm ensinado de música? – perguntou Villa-Lobos às professoras presentes.

– Hinos patrióticos... marchas...

Crônicas de educação 4 • 63

Não é que as professoras não quisessem ou não pudessem fazer melhor. Todos o sabem. O mal vem do ambiente, das possibilidades, do estímulo, da organização.

Os orfeões escolares que Villa-Lobos vai organizar têm de vir a ser, exatamente, esse estímulo, esse ambiente, essa possibilidade para cada professor de música dedicar seu interesse à cultura artística infantil, fora da banalidade, do lugar-comum, da falsidade, do preconceito do que é arte. Dentro da beleza pura, é apenas a simplicidade em todo o seu esplendor.

Chegará finalmente o dia em que as crianças não cantarão para o inspetor ouvir, nem para, nas festas de fim de ano, dar o espetáculo tristíssimo de uma pretensiosa capacidade de entoar modinhas sem graça, unicamente porque é dia de festa e a gente toma outro feitio, como quem põe vestido novo no primeiro dia do ano.

Cantarão como quem vive. Como quem sente. E justamente porque vivem e sentem. Colorindo com a música o desenho que a vida vai fazendo... Deixando balançar-se na música o perfume do espírito que se vai construindo, debaixo dela, num religioso silêncio.

E, então, haverá uma educação artística que ainda não temos.

Rio de Janeiro, *Diário de Notícias*, 8 de março de 1932

Café e educação

O leitor não deve estranhar o título. Já lhe vou explicar a sua razão de ser.

Um dos nossos cinemas acaba de exibir um esplêndido filme que é uma verdadeira monografia, transportada para a tela, sobre o nosso café.

Quem teve a sorte de o ver, se não o estava, deve ter ficado pasmo sobre o abandono em que se encontra essa riqueza nacional, tão apregoada nos carimbos de correio.

Colheita brutal, tratamento descuidado, impurezas, – tudo que concorre para a depreciação daquele produto, de onde vem, afinal? Do empirismo com que se têm tentado todas as coisas no Brasil, deste empirismo de quem se entregou àquela confiança que a carta de Vaz de Caminha nos dá sobre a generosidade do solo, e que os oradores todos proclamam nos seus discursos inflamados de valor cívico, com o "lábaro sagrado" aberto na imaginação como um esquema colorido das nossas prosperidades inacreditáveis.

A terra dá, é certo. Mas quando solicitada pela inteligência carinhosa do homem. No entanto, o que o filme revelou foi o desinteresse do homem pela terra, e o seu interesse por lucro imediato, apressado, sempre maior, – uma sede violenta de ganho e um completo esquecimento das fontes de onde o arrancava.

Uma sede, também, de *quantidade*, com o desprezo da *qualidade*. Muito, – ainda que *mau*.

Mas a vida é tão feita de sabedoria que os homens aprendem à sua custa aquilo que antes não se lembraram de estudar.

A crise do café que se fez tão grave no Brasil exige, para ser resolvida, que as pessoas interessadas apliquem a sua inteligência demoradamente nessa cultura tão importante para o nosso progresso.

E o filme insiste na necessidade de não pensarmos apenas em *quantidade*, mas em *qualidade*, para podermos competir com outros países produtores que estão sendo preferidos nos mercados estrangeiros.

Ora, o que se passa em relação ao café também ocorre nos domínios da educação.

Confiando na nossa famosa inteligência, estivemos muitos anos embalados pelo encanto de possuir bacharéis e funcionários públicos numa quantidade incalculável, embora sem aproveitamento nenhum, e com uma formação muito parecida com a cultura empírica do café.

Como o café, tivemos funcionários e bacharéis em abundância, e legiões infinitas de semiletrados, sem nenhuma orientação segura para a vida, e um desconhecimento quase completo de qualquer possibilidade de vocação.

Que esse não era o caminho certo para a formação nacional, prova-o toda a carência com que lutamos de elementos capazes de se distribuírem pelos vários setores de atividade, de cujo bom funcionamento resulta o desenvolvimento de um país.

Tivemos o empirismo educacional, como o agrícola.

E a nossa crise do café está precisamente, neste instante, em face da nossa crise de educação.

Que diz, então, o filme? Que se trate a terra de certa maneira, que se faça a colheita de outro modo, que se usem tais instrumentos, que se proceda, enfim, com inteligência, nas operações exigidas, a fim de se alcançar um tipo ótimo, capaz de rivalizar com os de países competidores.

Que diz a Nova Educação? Que, comparado com o que se vem fazendo noutros lugares, estamos ainda em condições de inferioridade, na definição dos nossos valores humanos. E que, para alcançarmos um nível de que precisamos, e que noutros lugares já vem sendo atingido, temos que fazer tais e tais coisas, de tal e tal maneira, segundo os resultados de experiências largamente conhecidas.

É o mesmo problema da qualidade. Que vale tanto café cheio de cascas, de pretos, de ardidos, de terra, de paus, de pedras?

Que vale alfabetizar sem educar? Dar uma superficial ilustração inútil a criaturas que nem por isso ficarão felizes, e até podem sentir uma infelicidade maior?

Não. Precisamos não insistir no erro da lavoura empírica. Precisamos crer que existe, com o problema do café, e alguns mais, este outro, urgente, inadiável, gravíssimo: o problema da educação. Problema que não se resolve só com fantasias, que exige conhecimentos técnicos, preparo do professor, visão nacional e universal e uma quantidade de coisas mais, que servem de diretrizes à Nova Educação.

O Distrito Federal teve a sorte de ver esse problema perfeitamente compreendido pelo seu interventor. E, de toda a Revolução, parece que é ainda a primeira obra que ficará firmada realmente, e ela só, na verdade, bastaria para justificar aquele movimento.

Rio de Janeiro, *Diário de Notícias*, 11 de junho de 1932

Sooky

ooky é um filme realizado por crianças. Não quer dizer que seja um filme "só para" crianças. Pelo contrário. Os adultos que não se intoxicaram ainda completamente com essa vaidade esquisita de serem "gente grande", isto é, aqueles adultos que não mataram dentro de si, ou não deixaram morrer, debaixo de preconceitos e ideias feitas, o aspecto mais verdadeiro da vida, que a infância reflete com integridade, encontrarão em *Sooky* uma alegria pura e mais bela que no enredo de certos filmes pretensiosos, artificiais e inúteis, em que se desfigura a realidade humana em composições arbitrárias, frequentemente vulgares, a que só o talento dos atores consegue dar o interesse do seu prestígio e do seu valor.

Em *Sooky*, como, antes, em *Skippy*, não é só a naturalidade das personagens centrais que seduz e comove. É o próprio sentido do humano com que é feito o romance que eles estão representando.

Num rápido artigo como este, não se pode tratar um assunto em toda a sua profundidade e extensão: mas não sei que ressonâncias encontro nos filmes que fazem estas crianças e nos de Chaplin. Uma íntima afinidade os aproxima. Uns e outros apresentam a virtude de trazer para temas todos os dias vividos a claridade de novos pontos de vista, que de algum modo fazem surpreender, aos olhos mais desatentos, aspectos diferentes e insuspeitados da realidade que nos cerca.

As lutas entre o mundo dos adultos e das crianças, motivadas pela incapacidade de compreensão, foram em *Sooky*, como em *Skippy*, reveladas com tanta habilidade, que os pais que levam a sério essas pequenas causas, de tão longos efeitos, poderiam aprender naquele espelho a resolver situações embaraçosas que diariamente se oferecem no simples trato com a infância.

Precisamente os pais é que têm o que aprender ali. Porque eles é que constantemente provocam as mais lamentáveis calamidades, querendo impor à liberdade bela e pura das crianças todos os absurdos que uma prática nem sempre justa da vida foi amontoando dificuldades terríveis, ocultas sob vários nomes, respeitados como tabus.

Por esse apelo que traz à consciência do adulto, e a nitidez com que o situa em face da novidade infantil, *Sooky* é, como *Skippy*, um filme de alto valor educativo, a que não se pode deixar de dar atenção. Filmes desse gênero, devidamente comentados, frisados os pontos de renovação de conceito, seriam de extraordinária utilidade se apresentados nas escolas, nas reuniões de pais e professores, pois, melhor ainda que os livros mais expressivos, salientariam as intenções da Escola Nova na sua ansiedade de substituir por uma vida autêntica as precárias interpretações, muitas vezes até fraudulentas e criminosas, que por aí se impõem como um jugo à espontaneidade infantil.

Só uma coisa me deixou preocupada neste filme, como, antes, em *Skippy*: é o desempenho que dá ao seu papel aquele "cínico" pequenino que, criança no meio de crianças, vive, na verdade, todo o convencionalismo frio dos homens que se desumanizaram. O contraste produz um resultado trágico, absolutamente notável. Como criança tipo "escola velha", não se poderia arranjar melhor: e os espectadores que se riem da sua figurinha detestável não sabem como estão rindo de si mesmos, das suas próprias atitudes e dos seus próprios defeitos. Mas, enquanto *Sooky* e *Skippy* serão, em qualquer tempo, dois aspectos comoventes e superiores da vida, e em qualquer tempo poderão contemplar com elevação estes filmes que estão vivendo, aquele cínico precoce que pensará mais tarde, quando refletir sobre as personagens que animou? E, ainda quando, para êxito do conjunto, ele seja uma fealdade necessária, até onde uma fealdade assim poderá fixar em sua vida real os elementos que incorpora na representação?

É possível que ele seja orientado de tal maneira que aprenda, nesta experiência de cínico, a condenar e a vencer as cenas que vive e as palavras que diz. E os ovos que sempre lhe atiram, e os doces com que lhe sujam a cara podem ser um argumento importante para sua própria formação.

Mas o certo é que dá um especial pesar este menino que sabe ser tão ruinzinho, que até parece gente grande. Ou então é da minha sensibilidade. Já uma vez vi fazerem falar (?) um cachorro, num teatro, e fiquei pensando se os homens têm o direito de explorar os animais assim...

Rio de Janeiro, *Diário de Notícias*, 28 de junho de 1932

Serviço de Música e Canto Orfeônico

O espetáculo de anteontem, no João Caetano, será inesquecível, por muitas razões.

Em primeiro lugar, tratava-se de uma iniciativa recente: iam cantar professores das nossas escolas que estão colaborando nessa obra de cultura artística ainda não há, talvez, seis meses, compreendendo nesse período de tempo os próprios trabalhos de organização do Serviço de Música e Canto Orfeônico.

Depois, estando esse serviço entregue a uma pessoa que não é simplesmente um profissional, ou um professor, no sentido limitado da palavra – mas um artista, importava verificar o talento dos artistas, quando, saindo da sua liberdade criadora, têm de prestar contas da sua atividade aos terrenos mais árduos das demonstrações de eficiência.

Mas a prova maior, a mais grave e a mais importante, era a da razão de ser da própria obra tentada: a cultura artística do nosso povo, mediante a ação educacional da escola, por onde, um por um, todos os dias, os futuros cidadãos de um país têm de passar.

A vida humana precisa de um ambiente de sonho, para elaborar, com plenitude, o seu poder definitivo de ação. Nesse ambiente, prevalecem as sugestões artísticas, – as realidades ativas são, anteriormente, fases de inspiração que misteriosamente se formam, no acordo de energias especiais, banhadas por uma luz superior de beleza.

Às escolas primárias, habitadas por uma infância que, às vezes, em toda a vida, não torna a ter oportunidades para estímulos proveitosos, faltava uma disciplina de arte, que concorresse para o enriquecimento educacional dos seus alunos.

O Serviço de Música e Canto Orfeônico está destinado a realizar essa obra. O Orfeão de Professores, que se apresentou neste espetáculo do João Caetano, é uma prova admirável dessa esperança, porque só haverá aproveitamento real do aluno onde houver uma possibilidade real do professor.

Além disso, a demonstração valeu por uma transfiguração do magistério. A voz que todos os dias distribui ensinamentos nas escolas é, por certo, uma voz que só por isso possui uma significação especial de beleza. Mas as mais nobres atividades se deterioram no uso obstinado de todos os dias: e, para além da beleza árdua, às vezes, do trabalho, há uma beleza gratuita, que se oferece como um dom voluntário, destinado ao simples encanto da sua própria dispersão.

Essa beleza da ação obrigatória, que se converte em dádiva deslumbrada, viu-a R. Odic Kintzel quando, num dos seus estudos sobre a estética física, aproximou, comparando-as, as atitudes dos corpos vencidos pelas rotinas diárias e as dos que se expandem em ritmos harmoniosos, servindo ao simples equilíbrio da graça.

A voz dos professores, tantas vezes martirizada na prática da escola tradicional, teve o seu instante de glória nos coros em que repousou livremente, sentindo a alegria de ser justa, proporcionada, flexível, dócil, expressiva.

O público, por mais satisfeito que saísse do espetáculo, talvez não tivesse compreendido desde logo até onde se estendia a claridade daquele milagre que presenciara. Estende-se até muito longe. A educação já é, por si, um processo de dispor a vida musicalmente: em equilíbrio, medida, ritmo.

Saber viver é mesmo, em suma, saber estar sempre de acordo com essas leis. E, uma escola que discipline a criança artisticamente, realiza um rendimento educativo mais valioso, talvez, que o conteúdo instrutivo de inúmeras matérias.

A este comentário sobre o Orfeão de Professores não podemos deixar de acrescentar a nota simpática da cooperação do Orfeão do Corpo de Bombeiros, corporação que é um exemplo de trabalho nobre, difícil, perigoso, útil e belo. Que cantassem os heróis pacíficos do fogo ao lado dos que estão construindo o próprio destino da sua terra foi mais uma oportunidade, para a Nova Educação, de afirmar seus intuitos de colaboração e definir seus horizontes de solidariedade geral.

Rio de Janeiro, *Diário de Notícias*, 9 de setembro de 1932

Boletim de Educação Pública

Reapareceu agora o *Boletim de Educação Pública*, iniciativa de 1930, reunindo num volume os seus dois números deste ano. Ele vem, assim, unir a administração Fernando de Azevedo a Anísio Teixeira, transpondo a interrupção sofrida com a crise de educação registrada nos primeiros meses que se seguiram à Revolução. Seu aparecimento oferece, desse modo, uma impressão de vida normalizada, no setor do ensino, uma perspectiva de continuidade de ação e de resultados, e a razoável esperança de tempos verdadeiramente novos, conquistados mediante os intuitos da Escola Nova.

Precisamente sobre essa escola versa a primeira colaboração do volume, que é uma conferência do diretor-geral da Instrução, realizada no fim do ano passado, na Escola de Belas-Artes, por ocasião da 4ª Conferência Nacional de Educação.

Dizem alguns dos seus trechos:

> De início, um esclarecimento. Escola Nova. Por que essa designação? Há, aí, mais do que a precariedade insustentável do adjetivo, qualquer coisa de combativo e atrevido, que choca alguns companheiros avisados de trabalho, receosos de uma ofensiva contra os valores reais da escola.

Na verdade, a designação causou sempre mal-estar, principalmente entre os tradicionalistas, que se sentiram amesquinhados no seu respeitável esforço de anos inúmeros, a que só faltou, realmente, uma noção dos acontecimentos em marcha para, oferecendo-lhes novas oportunidades, novos pontos de vista, e incitando-os a novos meios de realização, não lhes paralisar o mérito, não lhes impor esse automatismo e essa rotina que eles mesmos repelem, quando lhes são mostrados, tanto os acham detestáveis e impróprios.

Se tivessem tido esses novos pontos de vista esse estímulo para novos meios, teriam vindo realizando a Escola Nova, que não é, afinal, nenhuma invenção postiça arbitrariamente oposta à vida, mas uma instituição flexível como essa vida que a determina e a que serve.

Por isso tudo, sugere o conferencista:

A designação "Escola Nova", necessária, talvez, em início de campanha, para marcar violentamente as fronteiras dos campos adversos, ganharia em ser abandonada. Por que não "Escola Progressiva", como já vem sendo chamada nos Estados Unidos?

E justificando, ao mesmo tempo, o intuito e o termo, acrescenta:

> E progressiva por quê? Porque se destina a ser a escola de uma civilização em mudança permanente (Kilpatrick) e porque ela mesma, como essa civilização, está trabalhada pelos instrumentos de uma ciência que ininterruptamente se refaz. Com efeito, o que chamamos de "Escola Nova" não é mais do que a escola transformada, como se transformam todas as instituições humanas, à medida que lhes podemos aplicar conhecimentos mais precisos dos fins e meios a que se destinam.

Esta conferência do dr. Anísio Teixeira, na abertura do *Boletim*, é todo um programa de ação, claro e justo, com uma realidade que impressiona e estimula.

Depois dela, fica-se à vontade para ler todo o conteúdo da revista, em que se reúne uma parte de doutrina e exposição técnica a outra de informação sobre iniciativas e decretos. Duas seções ainda de informações gerais completam esse órgão destinado a manter o magistério e o povo sempre ao corrente do que se pretende e do que se faz no terreno educacional.

Como nota de idealismo, no *In memoriam* da primeira página, Vicente Licínio Cardoso contempla o leitor com a sua máscara de Stendhal.

Rio de Janeiro, *Diário de Notícias*, 1º de novembro de 1932

Teatro e educação

O teatro sempre foi um índice da civilização a que serve. Da arquitetura lapidar da tragédia grega ao "nô" oriental, da farsa medieval ao teatro francês, tudo são demonstrações de uma cultura, de uma tendência geral do povo, de uma aspiração, de uma fisionomia, enfim, indisfarçável e autêntica.

Mas é o teatro que faz o povo, ou o povo que faz o teatro?

Todos sabem já como se responde a essas perguntas ambíguas sobre a origem das coisas.

Uma das tristezas, quando se fala em teatro nacional, é a de se saber que, fora do caso limitado, do caso em si mesmo, está o seu significado, que atinge extensa e profundamente a própria definição da vida brasileira.

Chega-nos agora a notícia de um Teatro Musical Brasileiro, iniciativa dos professores Pierre Michailowsky e Vera Grabinska, e de que participam personalidades como as de Lorenzo Fernandez e Francisco Braga, Villa-Lobos e J. Otaviano, com uma orquestra sinfônica de cinquenta professores, e um conjunto coreográfico de quarenta, um coro misto de quarenta vozes, cenários e figurinos de Euclides Fonseca, Gilberto Trompowsky, Osvaldo Teixeira e Vsevolod Tour.

O repertório, dividido em três partes – música sinfônica, óperas e bailados, – é todo brasileiro e, além dos autores acima citados, nele figuram ainda Carlos Gomes e Leopoldo Miguez, Alberto Nepomuceno e Henrique Oswald, Delgado de Carvalho e Coelho Neto, A. Pacheco e Tapajós Gomes.

Só os bailados são um mundo de sugestões: "Invocação ao sol", "Imbapara", "Amazonas"...

Os iniciadores desta obra tentaram já um teatro para crianças que, apesar de não se ter conseguido manter regularmente, ficará como uma das mais belas recordações de educação artística para a infância brasileira. Depois dele, só os Concertos para a Juventude foram alguma coisa de interessante, eficiente e admirável, nesse sentido.

Que sorte estará reservada a este Teatro Musical Brasileiro, em que se sente um formidável esforço para elevar o nível artístico do povo e, ao mesmo tempo, voltar-lhe os olhos para a arte nacional, feita e por fazer, para as suas possibilidades, para o seu conhecimento, para a sua revelação?

Teremos amanhã o primeiro espetáculo. Uma experiência de sonho. E de educação artística, também. É sempre bom fazer dessas experiências: por elas iremos aprendendo aquilo que somos, na realidade, e aquilo que desejaríamos ou que poderíamos ser.

Rio de Janeiro, *Diário de Notícias*, 4 de novembro de 1932

Beleza

u ia escrever outra coisa. Mas lembrei-me do maravilhoso espetáculo que Michailowsky e Grabinska ofereceram domingo, no João Caetano, com as alunas dos seus vários cursos. Não há no Rio de Janeiro pessoa que se suponha culta e desconheça esses dois artistas e o valor educativo dos seus cursos. Isto é dito sem encomenda e sem interesse.

Lembrei-me do espetáculo, maravilhoso do princípio ao fim, e achei melhor conversar com o leitor sobre coisas de arte. E achei melhor falar-lhe com as palavras de R. Odic Kintzel, muito mais interessantes, com certeza, do que as minhas:

> Cada um de nós, queira ou não queira, é, na pantomima universal, um ator mais ou menos agradável de ver. E quase ninguém desempenha no palco do mundo o seu papel plástico com a necessária atenção.
>
> Poucas pessoas preparam e apresentam seu corpo com o cuidado com que preparam e apresentam a menor das suas obras.
>
> A preocupação do aspecto não vai, geralmente, além do ornato. Pensa--se no que é mais efêmero e perecível; na roupa, que se despe, na maquilagem, que se desfaz, em detalhes que não se veem a mais de um metro, em cuidados que apenas fazem recuar os agravos do tempo; não se pensa na silhueta.
>
> Enfeita-se o manequim sem o ver; esquece-se o essencial. Mesmo aqueles que se preocupam com a sua forma deixam geralmente ao acaso o cuidado de resolver o problema constante da atitude.
>
> No entanto, o arabesco desenhado pelo corpo no espaço é mais importante, para o aspecto, que a forma desse corpo.
>
> Esse arabesco tem, como poesia das linhas, a sua beleza própria, seu caráter, seu valor, independentemente do corpo que o desenha.
>
> As atitudes são a expressão do corpo: o canto de que ele é a voz, a obra de que ele é a matéria.
>
> Para os que, à falta dos dois juntos, preferem uma bela melodia a um bom instrumento, a qualidade das atitudes vale mais que a qualidade das formas, embora sem a excluir.

Ao contrário, as felizes proporções do corpo podem dar a ilusão de uma beleza maior, ou prejudicar tudo. Podem fazer o corpo magnífico ou tirar-lhe todo o encanto.

Se não somos, do ponto de vista de Apolo, tão perfeitos quanto se poderia desejar, se as criaturas representadas nas obras de arte possuem uma nobreza que raramente se encontra na vida, não é culpa da natureza.

A humanidade desarmoniosa da rua tem, sensivelmente, as mesmas proporções que a harmoniosa humanidade da estatuaria grega. A matéria é a mesma: foi o espírito que mudou. Está faltando o provérbio. Dizia-se na Ática: "Educa a tua estátua".

Pode ser um dom saber distribuir seu gesto; – pode também ser um talento, uma ciência. Pode-se chegar a isso facilmente, porque as melhores atitudes do corpo são justamente as que mais lhe convêm.

As más atitudes não são, em suma, maus hábitos. Não são uma fatalidade, mas uma negligência. Toma-se uma atitude má porque se ignoram as leis que regem a harmonia das várias partes do corpo, como se cantaria falso ou se calcularia errado ignorando as relações dos sons e dos números.

Essas leis são simples, fáceis de apreender; com um pouco de atenção cada um as encontraria sozinho. Se elas fossem conhecidas e respeitadas, não haveria tantas possibilidades perdidas, e a vida não estaria obscurecida por tanta fealdade inútil.

A fealdade é detestável; é preciso evitá-la por pudor, porque ela avilta; por generosidade para com os que dela sofrem; por interesse porque a beleza atrai a simpatia, e o ridículo mata o amor.

Foi por esses motivos que R. Odic Kintzel escreveu o livro que tem este prefácio. É com o mesmo intuito que Michailowsky e Grabinska dão as suas aulas. E que nós escrevemos este "Comentário".

Por Apolo! Se a beleza do corpo e do espírito não ficar, depois disto, mais florescente, não será nem por culpa da natureza nem destas quatro criaturas de boa vontade...

Rio de Janeiro, *Diário de Notícias*, 20 de dezembro de 1932

Teatro da Criança

A tentativa de Teatro da Criança que, por vezes sucessivas, nos ofereceram os professores Michailowsky e Grabinska, com os seus alunos de educação psicoestética, foi de modo a satisfazer o público mais exigente, embora, nesses primeiros espetáculos, deixassem de ser atendidas muitas das particularidades que esses artistas tencionavam apresentar posteriormente.

Participando, então, mais da dança que da representação teatral propriamente dita, essa iniciativa tinha, no entanto, a vantagem de, por silenciosa, evitar quaisquer possibilidades de linguagem inadequada ao público pequenino a que servia, sugerindo-lhe, no entanto, por uma riqueza finíssima de detalhes – guarda-roupa, jogo de luzes, cenários – os mais encantadores motivos de pensamento e de emoção.

Na vulgaridade dos espetáculos cotidianos, esse maravilhoso sonho de arte oferecido à infância e diante do qual os adultos se extasiavam – foi uma joia que não se perderá em nossa recordação.

Infelizmente, malgrado o interesse das crianças e a dedicação dos seus organizadores, esse teatro, depois de um pequeno número de espetáculos, no Municipal, no Lírico, no João Caetano e no Studio Nicolas, passou para o domínio da saudade, reaparecendo apenas em algum número de programa das exibições que costumam fazer os alunos daqueles professores.

O Teatro da Criança, como Michailowsky e Grabinska o fizeram, possuía, realmente, qualidades educativas, aliás, porque era feito *por* crianças e *para* crianças. Interpretando contos, lendas, folclore, danças de várias épocas e de vários povos, ele animava e iluminava de uma beleza nova argumentos já familiares ao mundo infantil; dava realidade à fantasia, disciplinando-a pela melhor das disciplinas que é de um critério de arte rigoroso e puro.

Todos os resultados educacionais que se podem obter de uma ação artística altamente compreendida recebiam, nesse Teatro da Criança, o estímulo próprio ao acréscimo das suas virtudes.

Fala-se agora numa outra tentativa, com o mesmo nome.

A sra. Sonia Veiga já por várias vezes, falando à imprensa, manifestou o seu intuito de criar um teatro destinado à infância, e que, segundo as suas palavras, não será apenas uma forma de diversão, mas também de educação.

Assim sendo, cumpre-nos dizer alguma coisa a respeito. Teatro para crianças num país em que ainda não temos, verdadeiramente, um teatro para adultos, é empresa difícil e de enormes responsabilidades. Já seria bastante termos espetáculos que visassem distrair a infância e a juventude sem as *deseducar*. Poderíamos ter, também, um teatro que instruísse. Mais complicado, talvez, pelo risco sempre iminente de enfastiar.

Mas um teatro que eduque... Mas um teatro que não esteja em contradição com o que a escola pretenda, na sua órbita mais ampla – e que a própria casa contraria, às vezes, tornando-se o maior obstáculo para a obra de formação humana a que se aspira...

No Teatro da Criança de Michailowsky e Grabinska, uma das qualidades mais preciosas era o silêncio dos personagens. Ali falavam apenas os ritmos: a música, a dança, o gesto. Às vezes algum verso. Raramente diálogos.

Mas um Teatro da Criança com peças... Certo, seria excelente, havendo autores e atores excepcionais: porque escrever e representar para a infância é tarefa quase sobre-humana, uma vez que os interesses de adultos e crianças são diferentes entre si que, para se alcançar um desses mundos, quando se habita o outro, há que fazer um prodígio de adivinhação. A prova disso está no número reduzido de livros admiráveis para a infância, não só no Brasil, como também no mundo todo.

Enfim, esperemos. Esperemos uma realidade que nos faça crer – como desejamos – seja esta mais uma obra capaz de satisfazer os intuitos educacionais que alega.

Com o Teatro da Criança, que com o mesmo nome precedeu a este, e com os Concertos para a Juventude, que são uma iniciativa bela, sadia e valiosa, temos duas contribuições artísticas de primeira ordem, para a educação da infância. Este novo teatro deve medir, por essas duas demonstrações, o tamanho da sua significação.

Rio de Janeiro, *Diário de Notícias*, 29 de dezembro de 1932

nono núcleo temático

O ESPAÇO ESCOLAR: AMBIENTE E AMBIÊNCIA. PRÉDIOS. CONCURSOS.

O ambiente escolar

Quando, anteontem, na sua primeira conferência, Rodolfo Lopes nos falava do ambiente, como fator importantíssimo na formação da personalidade, intimamente relembrávamos os pobres interiores das nossas escolas primárias, desprovidas, em geral, de tudo quanto possa atrair a criança e estimular-lhe a vida profunda.

Sem falar nos edifícios escolares, que até aqui foram sempre detestáveis, consideramos as salas de aula, os gabinetes das diretoras, os corredores, os pátios das nossas escolas.

Que impressão nos fica de os ter visto? Uma impressão de repartição pública, banal, monótona, enfadonha: agressivos armários envidraçados; mesas ou secretárias de mau gosto, em que às vezes se exibem tapetezinhos e panos à moda de cinquenta anos atrás; mobiliário dos mais monstruosos feitios; atmosferas de enfeites muito duvidosos; cabides velhos, onde as crianças amontoam capas e chapéus, sempre em maior número que os ganchos; vidrinhos com água para botar flores e, outras vezes, jarrinhas mais sinistras que os vidros; um velho piano envolto num velho pano encarnado ou verde; em cada canto, o globo geográfico de papelão lustroso, no clássico suporte de ferro torto; e, por cima de tudo isso, as lâmpadas oscilando, nuas, num fio simples, onde as moscas descansam e dormem.

Isso de um modo geral. Porque há os detalhes de cada classe: os livros, infalivelmente forrados de papel impermeável, a moringa à janela, certos quadros-negros, de cavalete, certas esponjas que não limpam mais, certos relógios que não funcionam etc.

Ora, ninguém pede escolas luxuosas. Pedem-se escolas limpas, arrumadas, bonitas. Que não se diga nunca: o aluno não tem dessas preocupações. Sim, ele as tem, no mais profundo de sua vida. Tem-nas informes, como uma aspiração que não se formula. Por que é que tantas crianças fazem gazeta? Em geral, pelo gozo de ficarem lagarteando ao sol, vendo o céu infinito, os pássaros voando, o vento balançando as folhas, – saboreando, enfim, essa beleza tranquila que flutua sobre a natureza, longe das coisas utilitaristas.

Trabalhemos, pois, por embelezar a escola. Em vez de se prepararem no fim do ano, apressadamente, trabalhinhos para exposições, proponhamos às crianças fazerem-nos para adorno da sua classe, desde o primeiro dia de aula. Que elas substituam os armários vulgares por estantes harmoniosas, laçadas, com essa nota de cor e brilho que os artistas empregam modernamente para os mobiliários infantis. Que elas decorem com simplicidade (e não temos a seduzir-nos as mil estilizações marajoaras?) os vasos que se destinem a enfeitar a classe. Que elas aprendam a abrir moldes para pintar as paredes da sala, dando-lhe um aspecto adequado. Que elas criem, afinal, um ambiente propício para a sua alegria de estudar.

Mas não é só o ambiente físico o que influi na formação da criança. É também o moral. E ai do professor que, para induzir seus alunos a uma atitude digna, lhes faz discursos sobre o caráter. Sobre o caráter não basta falar. É preciso, antes de tudo, tê-lo. Manifestá-lo em cada momento da vida. No mais simples ato. Na mais breve palavra.

As crianças, na escola, observam mais o professor do que este, em geral, as observa. Seguem-lhe com os olhos todos os movimentos. Surpreendem-lhe as intenções, e as repercussões íntimas. Assistem ao trato que ele dá aos seus colegas e subordinados. Medem a sua coerência, e traçam-lhe um tipo psicológico que guardam refletido em si.

Dentro da escola bonita, limpa, decorada, não cabe senão o professor verdadeiro, sincero, puro, que sente, pensa e age em linha reta. O que não for assim não poderá enfrentar sem remorso a infância: porque lhe vai servir de ambiente nocivo e deformador.

Rio de Janeiro, *Diário de Notícias*, 25 de junho de 1930

Escola atraente

Fala-se na escola atraente para a criança. Que é preciso um ambiente agradável, sugestivo, rico de inspirações para a infância: acrescente-se que é preciso um ambiente assim, também, para os professores.

Tem-se pensado que o mobiliário feio, as paredes sujas, os enfeites fora da moda exercem ação perniciosa sobre as crianças; é preciso não perder de vista a impressão que causa aos professores o mesmo cenário, para o seu trabalho de todos os dias.

Diz-se que a escola triste e agressiva afasta os alunos, torna-os vadios, mostra-lhes, em contraste, a beleza das ruas cobertas de sol, enfeitadas de árvores, onde a liberdade dos pássaros canta a sua alegria.

Quantos professores, ainda hoje, não irão à escola sob o peso, a atuação do dever, duro e sombrio como uma condenação?

Deixam a sua casa florida, alegre, clara, onde a vida também canta, sedutoramente. Encontram a escola com o conjunto das suas hostilidades: o relógio feroz, que não perdoa os atrasos do bonde; o livro de ponto ferocíssimo, com a sua antipática roupagem de percalina preta e a sua sinistra numeração, pela página abaixo... De toda a parte surgem objetos detestáveis: réguas, globos poeirentos, borrachas revestidas de madeira, tímpanos, vidros de goma-arábica, todas essas coisas hediondas que se convencionou fazerem parte integrante da fisionomia da escola, e que são acreditadas indispensáveis e insubstituíveis. Coisas mortas. Coisas de outros tempos. Coisas que se usaram nas escolas de nossos avós e de nossos pais. Não se pode pensar em familiaridade, em proximidade infantil, em vida nova, em educação moderna, no meio dessa quantidade de mata-borrões, de mapas com demarcações arcaicas, de balanças que não funcionam, de moringas de gargalo quebrado, de caixinhas de sabonete para guardar giz, e das coisinhas armadas nas tabuinhas dos armários chamados museus, nas quais não se pode bulir para não estragar, e que têm um rotulozinho em cima, tal qual os vidros de remédio.

Vamos pôr fora todas essas coisas velhas? Vamos ordenar uma limpeza geral nas escolas, ainda que fiquem apenas com os bancos para as crianças se sentarem?

O que for sendo preciso irá surgindo, pouco a pouco, das mãos das crianças e dos professores, conjuntamente. Ir-se-á povoando a escola não com essas coisas detestáveis que aí estão, mas com pequenos objetos feitos com carinho, com esse carinho que embeleza e enriquece tudo.

Muitas professoras não teriam na sua casa, com certeza, uma velha moringa dessas que habitam, infalivelmente, as janelas das salas de aula. Não quereriam na sua casa, nem na cozinha da sua casa, semelhante caco. Mas têm-no na escola. É a escola... Mas, então, que é a escola? E que afronta é essa à sensibilidade de centenas de crianças?

A moringa é apenas um exemplo.

Algumas professoras vão com desgosto à escola, dizíamos. Por que não modificam elas esse ambiente que as desagrada?, perguntareis.

Porque acima da sua vontade estão acumuladas muitas rotinas de outras vontades. Porque, algumas vezes, a manifestação de um natural bom gosto, de uma cultura mais apurada, serve de base a ridículas insinuações, e a críticas mordazes.

Porque ainda não temos um meio homogêneo, mesmo dentro dos limites do magistério.

Porque ainda não temos, infelizmente, uma totalidade de professores capaz de agir simultânea e solidariamente nesta obra de reorganização pedagógica que representa, para o Brasil inteiro, uma etapa de progresso que todos os esforços devem denodadamente acentuar.

Rio de Janeiro, *Diário de Notícias*, 31 de julho de 1930

Prédios escolares [I]

A questão agora novamente posta em foco da construção de prédios escolares deve merecer dos responsáveis uma atenção muito especial, porque justamente estamos atravessando um momento que exige o maior cuidado em cada ato levado a efeito, para não termos depois a censurar incompetências que se revelarem.

Se observarmos o critério seguido até aqui para a construção de edifícios escolares, teremos de reconhecer que ele se subordinou sempre à própria concepção que se formava da educação.

Quando ela se limitava a aparecer como uma simples fórmula de alfabetização, o problema se resumia, também, à quantidade de escolas, para abranger o maior número possível de alunos.

Quando a questão da higiene infantil abriu novos horizontes à escola, não se tratou mais da simples expansão que esta pudesse ter. Pensou-se em adaptá-la, também, a servir à criança mais cuidadosamente, dando-lhe novas possibilidades de conforto.

Mas as coisas estão em constante evolução. E a ciência educacional situou agora os assuntos escolares em tal nível que não é de prédios numerosos que necessitamos, nem mesmo de prédios apenas subordinados a meia dúzia de regras preliminares de higiene.

Temos diante de nós todo um mundo novo, com a ampliação de vistas que decorre do estudo da criança e das suas necessidades de formação.

Possuímos, para honra nossa, uma Reforma de Ensino que o regime revolucionário apenas terá de desenvolver em alguns pontos. Essa reforma, que contém as melhores coisas do pensamento e da experiência dos grandes educadores contemporâneos, não pode ser realizada com prédios de qualquer espécie, como já ficou verificado nestes breves anos em que se fez a sua tentativa de realização.

Precisamos de prédios ajustados às necessidades e à prática da escola definida pela Reforma de Ensino.

Essa reforma, aliás, determinou a construção de um certo número de edifícios já muito diferentes dos que anteriormente se levantavam para idênticos objetivos.

Terão esses, porém, sido a solução justa do problema dos prédios escolares adequados à Nova Educação?

Sobre isso é que é preciso refletir convenientemente. Porque, pelo simples fato de se fazer um edifício bonito, não se pode esperar ter resolvido a questão.

Não se trata de *urbanismo*, mas de educação. A educação não prejudicará jamais o urbanismo. O que é de temer é que o urbanismo possa de algum modo comprometer a educação.

Não é supérfluo, neste momento único da história do mundo, – em que tudo se volve para a criança como para uma esperança imortal, e tudo a deseja servir, convenientemente, – que a arquitetura pedagógica, quer na parte propriamente de ambiente, quer na de utilização, esteja devidamente esclarecida pelo espírito da época, e perfeitamente orientada nas suas intenções.

Rio de Janeiro, *Diário de Notícias*, 9 de dezembro de 1930

Fantasmagoria

Há dias eu tive ocasião de tomar parte em certo concurso de desenho a que concorreram muitas professoras. E, embora muito atenta a tudo quanto fazia, não me pude furtar a observar algo do que se passava em torno de mim. Sou obrigada a confessar que fui, mesmo, forçada a isso, pelas circunstâncias especiais em que esses fatos se produziam.

Logo que eu entrei naquela sala cheia de cavaletes, prontinhos para receber o talento das gentilíssimas estudantes, comecei a sentir que talvez não chegaria ao lugar que me estava reservado, porque na minha frente se puseram a desabar lápis, réguas, compassos, e outras pequenas coisas por si mesmas muito silenciosas, mas extremamente barulhentas quando em contato com o solo.

Essas pequenas coisas não bastam para abalar uma criatura de ânimo forte... – como os senhores naturalmente imaginam que eu seja...

Mas, é que, depois delas, foram caindo cadeiras, cavaletes, pranchetas, e isso assim para todos os lados, embora também não seja ainda aterrador, já é muitíssimo mais sonoro, e os sons, de certa medida em diante, começam a ser extraordinariamente desagradáveis...

Quando vi todas as colegas sentadas, tive um sentimento de alívio.

E dispunha-me a tocar em régua e lápis, com a máxima precaução, a fim de não se dar o caso de me acontecer o mesmo que às outras, quando eis que vejo de novo os cavaletes girando, como se eles mesmos fossem grandes compassos traçando circunferências pelo chão, e as pranchetas resvalando por ali abaixo como um patim no gelo, e as réguas e os lápis, e tudo mais cantando pelo revestimento sonoro da sala a alegria de se sentirem em liberdade.

Ora essa! fiquei pensando. Isto parece uma sala mágica. Parece que sopra aqui dentro um vento qualquer, brejeiro, malicioso, disposto a fazer turbulências comprometedoras para essas gentilíssimas estudantes!

Tive medo até de respirar, não fosse reboar pelo espaço algum ronco de vendaval. Tive medo até de pensar, não fossem os meus pensamentos sair de repente do cérebro como os palhaços das caixas de surpresa, enchendo o ar de esgares gaiatos... E em redor de mim percebi que havia outras pessoas também apreensivas, ensaiando com muito cuidado cada gesto...

Mas era preciso agir. Tive a habilidade de o conseguir sem provocar o interesse do gnomo brincalhão que, estou quase certa, errava por ali, invisivelmente.

Errava, sim, estou mesmo certa. Porque de um lado e de outro as pranchetas continuavam a resvalar, estatelando-se no chão, e os cavaletes continuavam a fazer piruetas, e os compassos tiniam, e as réguas pulavam, e os lápis fugiam como setas... As borrachas, essas, então, iam pulando, com toda a força da sua elasticidade, como uma dessas zombarias que a gente faz com a inteligência, dizendo depois de longe: "Vem ver se me pegas, vem!"

Os senhores não imaginam como tudo isso era divertido. Tão divertido que as próprias pessoas com quem essas coisas se passavam não resistiam ao riso... As gargalhadas também voavam pelo espaço naquela sarabanda de bruxedo...

E como o ambiente estava assim, todo fantasmagórico, imaginem o que me aconteceu! Vi um garotinho, um garotinho, de olhos marotos, com a blusa do uniforme meio desabotoada, um livro embaixo do braço, e um sorriso na boca.

Apareceu no ar, não sei como, olhou para aquilo tudo, pôs um dedo sobre o lábio e disse com ironia:

– Chi, *fessoras*, que barulho que as senhoras estão fazendo!

Rio de Janeiro, *Diário de Notícias*, 23 de maio de 1931

Nossas escolas

Percorrer as escolas do Distrito Federal é, de certo modo, auscultar a própria vida do Brasil. A escola é que sempre nos dirá o que somos e o que seremos. Ela é o índice da formação dos povos; por ela se tem a medida das suas inquietudes, dos seus projetos, das suas conquistas e dos seus ideais.

Ora, as escolas do Distrito Federal são um triste índice. No entanto, nós temos ideais, inquietudes e projetos. Nestes dez últimos anos, um pensamento novo, firmemente dirigido para a questão educacional, tem sustentado esforços notáveis pela definição de uma obra que seja a diretriz da vida nacional.

Com grande custo, mas com uma obstinação admirável, temos vindo despojando-nos de rotinas longamente fixadas, buscando, no exemplo de outros países que rejuvenescem, a inspiração para o nosso trabalho que é, afinal, ainda de crescimento.

A compreensão de que tudo depende da educação, se não é ainda um conceito claramente estabelecido na mentalidade geral, está, pelo menos, na consciência dos responsáveis pelo povo, e, dentro das vacilações e das incertezas em que se modelam quaisquer tentativas, vai, enfim, criando a sua realidade para um futuro que verá, talvez, com melhor simpatia, estas obscuras lutas do presente.

Se essa compreensão não se integrou ainda completamente à totalidade do magistério, pelo menos os seus elementos mais representativos, em atividade, entusiasmo e inteligência, afeiçoaram-se-lhe e trabalham por ela com uma energia que acabará por vencer os obstáculos que encontra.

Mas uma parte desses obstáculos precisa ser movida a fim de facilitar e apressar o nosso desenvolvimento educacional. Referimo-nos à parte material do ensino, fator, evidentemente, de enorme importância no destino da própria obra.

As escolas do Distrito Federal são, numa grande parte, um atestado doloroso da nossa pobreza, e, consequentemente, do retardamento a que estaremos condenados se esse estado de coisas não evoluir de modo a permitir a eficiência de ação ainda não conseguida.

O professor pode fazer muito. Pode fazer quase tudo. Mas existem, no Distrito Federal, escolas que parecem ter por função exclusivamente a de esgotar, deprimir, humilhar o professor.

Compreende-se que haja prédios deficientes, com muitas faltas, onde se torne necessária uma constante vigilância de adaptação do professor, de modo a equilibrar os fins que visa, no cenário que se lhe oferece.

Quando, porém, esse cenário toma, pelos seus defeitos, proporções esmagadoras, que inibem todas as tentativas, e se tornam uma constante ameaça, contra a qual se esbanjam todas as energias, – então já o professor não pode fazer mais nada senão sucumbir, vítima do ambiente. É o que em muitos casos se pode observar. A necessidade pode constituir um estímulo, até certo ponto. Passado esse ponto, é um castigo intolerável. No dia em que os responsáveis pela execução dos planos de construção escolar virem com os seus próprios olhos o que há por detrás de muitas fachadas de escolas; no dia em que virem as camadas mais infelizes da população nos ambientes mais hostis, onde a obra de educação quase se converte em obra de caridade, – é impossível que não haja um movimento qualquer – de emoção, de raciocínio, de instinto – que transforme esta angústia em que nos debatemos.

Que a medida de um país se deve ir buscar nas suas escolas é uma afirmação verdadeira, mas tristíssima quando esse país é o Brasil, que, na sua própria capital, oferece um espetáculo de que não suspeitam, certamente, os que não se apressam em lhe trazer a urgente correção.

Rio de Janeiro, *Diário de Notícias*, 16 de novembro de 1932

Ambiente

Precisamos de ambiente. Nossa vida não está apenas em nós mesmos; por muito profunda que seja, por muito repleta que se ache de belos sonhos, de ansiedades imensas, de extraordinárias dimensões de virtude e poder.

Toda a significação do que somos se inibe, dolorosamente tímida, quando não encontra uma atmosfera propícia à eclosão daquilo que é.

Grande tristeza esse perambular das criaturas admiráveis, que procuram infindavelmente o lugar onde se fará a sua revelação, adiando a cada passo o instante festivo do espírito em que, como num espelho, encontrem e sintam a novidade da sua harmonia e o mistério da sua grandeza.

Vai-se nesse passo até a morte, de projeto em projeto, de tentativa em tentativa, de renúncia em renúncia.

Esse é o destino dos desamparados, dos solitários, que se movem entre horizontes de desconfiança, porque sempre lhes faltou a serenidade consoladora de uma total compreensão.

A mediocridade não sofre desse mal. A mediocridade é numerosa: rua muito povoada, onde todos se falam, se conhecem, dizem mal uns dos outros, mas também se entreajudam, – fazendo assim um convívio nem completamente bom, nem completamente mau.

Para além da mediocridade é que começam todas as torturas. A procura do bem sempre mais perfeito é uma forma de loucura esplêndida, em que as vítimas estendem mãos apaixonadas para deslumbramentos que todos juram perigosos. Mas há nessa loucura uma solicitação tão veemente, um fervor tão concentrado, tão clarividente, tão secular que, ainda que a humanidade toda não a achasse legítima, teria de confessar a sua autenticidade sem limitações.

As crianças predestinadas a esses caminhos amargurados e radiosos não se selecionam por vantagens especiais e exteriores. Vêm ao mundo com uma estrela negra na fronte, como qualquer personagem de Gérard de Nerval. São toda uma formação do tempo, do meio, da vida universal. Composição de um destino, como qualquer forma da natureza, combinando elementos ocultos, com forças estranhas, para esse aparecimento final.

A educação terá de ser sempre o ajustamento do indivíduo ao ambiente. Ao seu ambiente próprio. Aquele em que ele possa viver. Todos temos direito à vida. E infelizmente os que mais alto a representam, os que mais fiéis lhe querem ser, são os condenados ao exílio e à renúncia, e não lhes resta mais que o misticismo para inventarem uma sobrevivência milagrosa, pela transfiguração de tanta dor.

NOTA – Escrevendo ontem sobre a atitude do dr. Anísio Teixeira, que ofereceu seus honorários de docente do Instituto de Educação à biblioteca do mesmo Instituto, esquecemo-nos de dizer que esse oferecimento foi feito por ocasião da sua nomeação, isto é, em julho do corrente ano.

O lapso originou-se do fato de comentarmos o edital sobre o assunto, publicado, no órgão oficial, apenas no dia em que escrevíamos o "Comentário".

Rio de Janeiro, *Diário de Notícias*, 8 de dezembro de 1932

Prédios escolares [II]

Quando, há poucos meses, o diretor-geral da Instrução apresentou ao Conselho Consultivo do Distrito Federal o seu plano regulador da construção de prédios escolares, a atmosfera tinha um certo constrangimento de surpresa: como diante do imprevisto de uma revelação, o auditório deixou-se ficar pensativo vendo aqueles mapas, aqueles gráficos e, principalmente, a veemência com que o dr. Anísio Teixeira situava o problema e apontava a sua solução.

O próprio relatório falava, aliás, da incerteza com que sempre se construíram ou alugaram prédios escolares: e essa referência punha em destaque a segurança com que o autor do plano estudara o assunto, recorrendo a todos os dados e prevendo todas as necessidades.

A assistência percorreu com olhos curiosos toda aquela documentação. Na augusta sala do Ministério, entre aqueles móveis sólidos e limpos, diante daquelas imensas decorações, numa tarde em que positivamente não chovia, e todos sabendo ler e escrever (alguns talvez até mais que uma língua), os ilustres senhores presentes não poderiam imaginar com facilidade o que é uma escola do Distrito Federal: casa suja, velha e acanhada, com móveis partidos, quase sempre desajustados à altura das crianças, com vidros furados, teto fendido, escadas desmoronando-se, excesso de poeira, falta d'água, e muitas vezes falta de ar e falta de luz. Isso são coisas que precisam ser sentidas de perto. E há muita gente ilustre, e que certamente trabalha imensamente pelo Brasil, mas que não passou pela tristeza de conhecer uma escola primária por dentro, porque, em muitos casos, nem a infância a frequentou.

O cuidado, pois, com que foram manuseados e percorridos os mapas e esquemas já seria em si coisa muito louvável, porque é próprio da natureza humana desinteressar-se facilmente pelas coisas que não lhe dizem respeito, – salvo algumas exceções.

Depois, o Conselho parece que ficou estudando o caso.

Seria prudente não o estudar mui longamente, – do contrário, as escolas que temos cairiam sozinhas, e com elas as salas aproveitáveis, o que viria modificar todo o plano, e, naturalmente, complicar as finanças do país, essas estranhas finanças que, malgrado toda a parcimônia nas despesas imprescindíveis, acaba sempre por se evaporar, como o saci, preso na garrafa.

Mas existe um cavalheiro, o sr. Zeferino Barroso, que "... sentindo com tristeza e revolta os efeitos de ordem moral da incúria e da miopia dos administradores de todas as épocas neste vasto país", e não querendo trair as suas convicções de todos os tempos, nem renunciar às lutas que vem travando desde os albores da sua mocidade, – são palavras suas, – resolveu dizer aos seus colegas do Conselho em que condições se encontram os prédios escolares, e a quantidade de crianças que anualmente ficam sem matrícula, por falta de espaço ou de equipamento das escolas.

Com esse voto, o Conselho Consultivo aprovou a emissão de trinta mil contos de réis para edificações escolares, o que, se não é a realização do plano regulador da Diretoria-Geral de Instrução, é, no entanto, alguma coisa capaz de aliviar a angústia em que se debatem alunos e professores, no momento em que a administração se propõe uma obra séria, profunda e vasta, na educação nacional.

O sr. Zeferino Barroso, reforçando as palavras já poderosas do diretor-geral da Instrução, pôs-se, afinal, ao seu lado, como um colaborador da sua obra. Não é glória pequena. Fica-lhe a responsabilidade de a sustentar com brilho, pois em nome da criança podem ser feitas as coisas mais altas e belas da vida – as mais desinteresseiras, também, e as de maior responsabilidade.

Rio de Janeiro, *Diário de Notícias*, 22 de dezembro de 1932

décimo núcleo temático

EDUCAÇÃO E LITERATURA INFANTIL

Literatura infantil [I]

Pensar em organizar criteriosamente uma biblioteca infantil é ter de lutar, desde logo, com uma dificuldade que inutiliza esse bom propósito: a falta de livros para crianças, entre nós.

Que haja livros publicados com o fim de servir à infância (ou de explorar a venda às escolas) todos nós o sabemos. Mas, que esses livros atinjam o fim a que os destinam é coisa muito diferente e contestável.

Muita gente pensa que escrever para a infância é das coisas mais fáceis. Que esses leitores são pouco exigentes; que não é preciso ter "estilo" (todo o mundo tem o direito de pensar coisas absurdas) para escrever qualquer página que os satisfaça. E – o que é a maior enormidade – que qualquer assuntozinho à toa se presta para um livro desses, destinado a quem não tem muitas preocupações fora do círculo da família e da escola.

Há também os partidários das narrativas fantásticas, para quem as crianças são uma espécie de gente desvairada, que se alimenta de proezas incríveis, de aparições, de golpes de audácia e de crueldade.

Ambos esses extremos são ridículos. Simplicidade não quer dizer banalidade. Pode-se fazer um livro extremamente simples – porque há que atender aos recursos limitados de vocabulário, de primeira idade – mas repleto, ao mesmo tempo, desse aroma de poesia que devia ser alimento contínuo da infância. E também se pode fazer um livro maravilhoso – mas sem monstruosidade, condições que muita gente supõe afins.

Como exemplo deste último caso, poderíamos citar o nunca assaz louvado livro de Selma Lagerlöf, *A maravilhosa viagem de Nils Holgersson*, – uma das obras mais belas, mais ricas, mais completas e espirituais que o mundo possui para leitores em transição da infância para a adolescência. Ali, o maravilhoso comedido é, apenas, um símbolo ou uma advertência. E que símbolo! E que advertência!

Mas é muito mais fácil criar coisas absurdas, impossíveis e sem significação. É só dar livre curso à fantasia, – nem sempre interessante nem sugestiva. Não é preciso sutilizar, estilizar, e coordenar depois os motivos obtidos numa diretriz que satisfaça ao pensamento e ao coração...

Além disso, o livro infantil deve ter um aspecto gráfico perfeitamente educativo: isto é, capaz de estimular todas as faculdades do leitor; porque a ilustração não serve apenas para reproduzir o que lá vem escrito...

Haveria muito que dizer sobre tudo isso. E que pensar. Como nós já dissemos alguma coisa, convém que outros pensem também um pouco...

Rio de Janeiro, *Diário de Notícias*, 28 de junho de 1930

Livros para crianças [I]

Escrever para crianças tem de ser uma ciência e uma arte, ao mesmo tempo. Mas, desgraçadamente, entre nós, vem sendo, desde muito, uma indústria. Para o comprovar, é bastante percorrer com olhos de educador esses horríveis livros cartonados que por aí existem, muitos dos quais, embora eliminados na última seleção feita pela administração, ou adotados com restrições, continuam, inexplicavelmente, a atormentar com o seu peso inútil a pasta dos alunos das nossas escolas.

Escrever para crianças tem de ser uma ciência, porque é necessário conhecer as íntimas condições dessas pequenas vidas, o seu funcionamento, as suas características, as suas possibilidades – e todo o infinito que essas palavras comportam – para escolher, distribuir, graduar, apresentar o assunto.

Tem de ser uma arte porque, ainda quando atendendo a tudo isso, se não estivermos diante de alguém que tenha o dom de fazer de uma pequena e delicada coisa uma completa obra de arte, não possuiremos o livro adequado ao leitor a que se destina.

Esta segunda condição – que pressupõe o artista – é ainda mais indispensável que a primeira – que requer o técnico.

O artista é uma criatura que se distingue das outras pela sua intuição, pela sua sensibilidade e pelo seu poder de criar de acordo com a vibração especial que lhe transmite cada ambiente. Por isso mesmo, há neles como uma faculdade divinatória, que os faz pressentir acontecimentos e épocas. Eles são, também, capazes de escrever para crianças, embora ignorando as verdades que sobre elas vem fixando a ciência: orientados, apenas, pela delicadeza do seu tato espiritual, e pelo desejo superior de um convívio íntimo com a alma infantil. Modernamente, aliás, se está verificando a enorme similitude psicológica da criança com o artista, quer nas vivências subjetivas, quer nas realizações objetivas.

Ora, se há, também, coisa fácil de ser verificada é que nós não temos escritores, escritores-feitos, escritores-consagrados pelo senso das gerações que vêm, e que ainda não estejam contaminadas nem pelo preito aos "me-

Crônicas de educação 4 • 99

dalhões", nem pela lisonja aos cabotinos, – não temos escritores que se dediquem a fazer livros infantis, como os faz um Mukerjee, na Índia, e uma Selma, na Suécia, por exemplo.

Muita gente se aventura a essa literatura por julgá-la "fácil"... Saem esses livros hediondos em que sempre há um sino batendo as "ave-marias", numa paisagem piedosa, ou um gato pulando numa panela, ou um menino amarrando um rabo no paletó do tio.

Mas há também quem suponha que, com as boas intenções de pregar moral, será capaz de resolver o problema do livro infantil.

Não sei qual dos dois casos é o pior. E por essas e outras é que J. J. Rousseau e Bernard Shaw são de opinião que não há maior tragédia para a criança do que aprender a ler. É um caminho aberto a todas as tolices dos maus livros.

Como tudo é possível, talvez me esteja lendo alguém. E pode acontecer ser algum autor ou aficionado desses livrinhos sentenciosos, que ensinam que "quem faz o bem é recompensado", que "mais vale um pássaro na mão que dois voando", que "um dia é da caça, outro do caçador", e assim por diante. E essa pessoa, se existir, vai ficar escandalizada quando eu escrever agora que a moral é suscetível de variação, – essa moral, está claro, que anda assim à tona nos provérbios e que é, afinal de contas, a de uso generalizado...

Pois eu digo isso. E, como é meu costume, vou logo provando por que o faço: porque quem faz o bem para ser recompensado é egoísta; quem prefere um pássaro na mão a dois, ou mesmo a um, voando é interesseiro, e quem pensa que "um dia é da caça e outro é do caçador" tem, pelo menos, tendências à vingança...

Há muitas coisas bonitas para dizer à criança, sem entrar nesse dogmatismo decrépito e ridículo.

E pode fazer-se moral positiva, sem esse contraste de uso retórico.

Conhece-se o caso de uma menina que, um dia, perguntou ao tio, autor fecundo de livros infantis:

– Por que você não escreve histórias "imorais", hein?

Depois do natural silêncio, a pequena explicou que se referia a histórias que não tivessem um fecho assim: *Moralidade: os desobedientes sempre são castigados*, ou qualquer outro desse jaez.

Não. Escrever para crianças é, ao mesmo tempo, difícil e fácil. É, como um dia ouvi dizer: *o ovo de Colombo*. O difícil é a gente ser Colombo. Ser, de fato. Não, apenas, pensar que é...

Rio de Janeiro, *Diário de Notícias*, 9 de novembro de 1930

Constancio C. Vigil

Poucos autores terão, como Constancio C. Vigil, o poder de publicar tantos livros para a infância conservando em todos o mesmo ritmo espiritual, a mesma atmosfera de pureza e bondade, e a mesma ansiedade de transmitir aos pequeninos as melhores conquistas da sua inteligência, do seu caráter e do seu coração.

Eu não conheço este escritor senão através de sucintas informações. É homem de muito dinheiro, que vive em Buenos Aires entregue a preocupações espiritualistas, e escrevendo ou sobre assuntos de filosofia (*El Erial, Los que pasan, Las verdades ocultas, Cuentos*), ou para as crianças – às quais já deu cerca de duas dezenas de lindíssimos livros.

Quase duas dezenas. Dezessete ou dezoito. Em cuidadosas edições copiosamente ilustradas, com sugestivas cartonagens que lembram os luxuosos livros de histórias de certas edições inglesas, fazendo sentir no mínimo detalhe que Constancio C. Vigil se preocupa, na verdade, pela formação da infância, com um critério que surpreende ainda mais aos que analisam os seus livros porque se reconhece que, se o autor, às vezes, – muito raramente, aliás, – vacila, no ponto de vista pedagógico, afinal acaba acertando sempre, pela imensidade de amor com que impregnou sua alma para se aproximar do domínio infantil.

Ele mesmo reconhece a dificuldade com que tem de lutar quem se resolve a escrever para crianças.

É um autor *consciente*. E num dos seus prefácios escreve: "*... no hay tarea más delicada, difícil, compleja y de mayor responsabilidad moral que la de escribir livros de esta índole*".

E, como uma advertência oportuna, este homem que escreve por ideal, por uma razão de sentimento, por atividade do espírito, confessa com simplicidade: "*Por mi parte, he necesitado vivir más de media siglo abstrayéndome en las más serias meditaciones, para afrontar la empresa de escribir para los niños*".

Hoje eu não quero revelar algumas das mais lindas páginas deste autor meditativo que reparte sua vida entre a jardinagem e as letras, como um poeta da antiguidade.

Quero, porém, revelar o segredo desta criatura sensível que deixa a sua personalidade vibrando sempre nas passagens mais despretensiosas de cada história para crianças e que o Conselho Nacional de Educação, da sua terra, demonstrando uma fina e elevada compreensão, fez um autor familiar aos pequeninos estudantes, aprovando cinco dos seus livros, como texto de leitura, respectivamente para cada classe da escola primária.

Li todos esses livros, um por um, com a mais viva alegria, essa clara alegria saudável de quem se encontra com uma coisa inesperadamente bela, e tem vontade de a bendizer.

Na primeira página de *Marta y Jorge*, – o livro para o terceiro ano – esperava-me esta comovente confissão:

> *Me llamo Marta y Jorge porque el hombre que me escribió tenia dos hijos con estos mismos nombres. Los tenia... Ya no los tiene...*
> *Como ellos no están más en la Tierra, no puede decirles a ellos estas cosas. Y se ha puesto a hablar con ustedes como si fueran ellos.*

Por isso é que Constancio C. Vigil realiza tão bem o seu destino de escritor para a infância. Porque ele escreve como quem fala. Como quem fala a seus filhos. E como quem só sabe dizer aquelas coisas superiores que meio século de vida meditativa lhe tem ensinado, de uma forma tão bela que transfigura todos os sofrimentos.

Rio de Janeiro, *Diário de Notícias*, 21 de abril de 1931

Os poetas e a infância

á algum tempo, o escritor Pierre Benoit começava uma conferência sobre *Ce que j'ai vu au Pacifique* com as seguintes palavras:

> *Reprenant une phrase du philosophe François Revaisson, Maurice Barrés souhaite, dans un de ces livres, que les enfants soient élevés* in hymnis et conticis. *Parmi les symnes et les cantiques qui ont présidé à mon enfance, à mol, il me souvient d'une strophe apprise vers la douzième année, et qui me jeta sur-le-champ dans une étrange exaltation. Vous connaissez certainement ces vers merveilleux. Ils sont parmi les plus beaux qu'ait écrits le chantre d'Eloa et de Moise:*
>
> > *Un jour, tout était calme, et la mer Pacifique,*
> > *Par sos vagues d'azur, d'or et de diamant*
> > *Renvoyait ses splendeurs au soleil du Tropique.*
> > *Un navire y passait majestueusement.*
>
> *Etre, un jour, le passager d'un navire semblable, sur ce même océan, voilá um désir qui, des lors, ne me quitta plus guére. Les rapports des grands voyageurs, les livres des grands écrivains qui ont célébré le Pacifique, un Pierre Loti, un Stevenson, augmentérent par la suite ce désir en le raisonnant. Il ne m'en a pas moins fallu attendre une trentaine d'années avant de pouvoir obeir à ce qui était devenu em moi un veritable imperatif catégorique.*

Aí temos uma confissão interessante, que nos pode orientar quanto à influência das leituras sobre a alma infantil.

É bem verdade que nós somos ainda uns grandes ignorantes diante desse mistério maravilhoso que é a vida humana, principalmente quando se trata da vida da criança. Nosso esforço para compreendê-la, para adivinhá-la, a fim de melhor a podermos servir, tem um heroísmo que é a característica da idade moderna, tão repleta de intenções favoráveis à solidariedade, ao geral bem-querer. E é um abalo para a sensibilidade dos que realmente se interessam pela infância pensar nas sugestões que se podem encerrar num livro que vai parar nas mãos da criança, e que os seus olhos avidamente se põem a percorrer.

Quantos "imperativos categóricos" acordaram, assim, na página que uma criança veio a ler, por acaso ou fatalidade?

Crônicas de educação 4 • 103

Pierre Benoit desde os 12 anos se pôs a sonhar com o Pacífico. Com que outros mares muito mais terríveis, muito mais profundos terão ficado sonhando outras crianças? E assim como o escritor francês se sentiu arrastado invencivelmente para os horizontes que mais tarde possuiu dentro das suas pupilas, para onde estarão sendo arrastadas todas as crianças do mundo, quando se debruçam para as suas primeiras leituras?

E que podemos nós fazer por elas? Para que as suas aventuras sejam as mais belas, as mais propícias, as mais deslumbradoras?

> — *Soit dit en passant* — acrescenta mais longe Pierre Benoit — *ne perdons pas cette occasion d'admirer la singulière puissance des poétes. Il sufflit à l'un d'entre ceux qui, en l'espèce est un de ceux qui ont le moins voyagé – de procéder à un prestigieux assemblage de mots pour qu'un siècle après le charme dure encore, et pour que se charme suffisse à lancer d'innocentes victimes dans les aventures les plus lontaines, les plus inattendues.*

Acentuemos aqui não ser apenas a aventura por paragens exóticas o que sugerem os poetas, mas toda a imensa aventura que cada um vive em sua vida, e que é sempre uma viagem por uma paisagem possível ou impossível, com amigos e inimigos marcando os dias de passagem, e um sonho qualquer animando a bússola, embora jamais se possa garantir a direção, chegar ao fim e saber por que se andou viajando...

"Les poètes sont tous les mêmes. Ils nous invitent magnifiquement au voyage, mais ils restent d'ordinaire sur le quai. En agitant leur mouchoir. Malgré cette prudente et cette réserve, ils n'en demeurent pas moins les plus précis."

Por isso, eu sempre tive uma confiança total nos livros que os poetas escrevem para a infância. Creio mesmo que só eles são capazes de os escrever bem. Porque até quando lhes falta a beleza que pregam, quando ficam no cais, mostrando, apenas, o rumo que outros podem seguir, ainda assim estão sendo os melhores guias. Revelam a beleza que talvez não conseguiram realizar em si, neste mundo de dias e criaturas ainda hostis. Beleza que, não obstante, foi sua, esteve em seu coração como as inquietudes que não florescem e os pensamentos que não chegam a ter forma. Podem até deixar de ser os guias mais precisos. Na imprecisão de um poeta há mais energia sugestiva que em todas as realidades dos homens vulgares. Eles são ainda as criaturas mais agradáveis e preciosas da vida, embora andem assim meio expulsos dela, e nem ao menos coroados de flores, como queria Platão...

Rio de Janeiro, *Diário de Notícias*, 7 de julho de 1931

Literatura infantil [II]

E por estarmos falando em literatura infantil, lembramo-nos daqueles encantadores e inesquecíveis contos de Perrault, que têm feito e farão, por muito tempo, ainda, a delícia de inúmeras gerações.

Dizemos assim: Contos de Perrault, e parece-nos que nada mais é preciso acrescentar. E pensamos naquele velho Perrault de cabeleira derramada pelos ombros, a boca meio contraída sob o nariz grande e forte, os olhos meio apreensivos sob as sobrancelhas cerradas.

No entanto, há dúvidas sobre a autoria dos contos. Ainda não há muito, Émile Henriot escrevia num artigo: *"Les contes ont pour auteur Charles Perrault, avec la colaboration de son fils, – à moins qu'ils ne soient de Pierre Perrault--Darmancour (autre fils de Perrault), avec la collaboration de son père..."*

A história está feita assim de dúvidas, de controvérsias, de fatos mal explicados, e de outros mal compreendidos. É a pobreza das possibilidades humanas revelando sua limitação, sua incapacidade de dizer sempre a *verdade verdadeira*. Se é que ela existe. Nos contos de Perrault, essa vacilação não deixa de ter a sua importância. Todos nós gostaríamos de saber com certeza para que sombra do passado nos deveríamos voltar quando quiséssemos agradecer a lembrança amável daquelas histórias bonitas, reunidas para alegria da nossa infância.

E uma confusão dessas, como a do Gil Vicente, ourives e poeta, não faz senão acentuar com um novo encanto aqueles pequenos quadros graciosos em que aparecem a Borralheira e as Duas Fadas, Chapeuzinho Vermelho e Riquete da Crista...

Émile Henriot explica, aliás, como se deve ter dado a confusão:

> *Charles Perrault va s'occuper de l'impression, ajoutera de sa main les moralités en vers qu'on y voit et qui, en effet, sont d'une autre encre. Il introduira même dans le texte certains changements, certaines retouches utiles pour la rapidité du récit, l'art même d'un plus savant effet. Mais la couleur et le souffle du conteur enfantin sont respectés. Le jeune auteur fera lui-même sa dédicace, le privilège sera à son nom. Et voilá le livre imprimé qui, une fois le succés venu,*

Crônicas de educação 4 • 105

ne sera plus pour tout le monde que le délicieux recueil, promis à l'immortalité, des Contes de Perrault... Quel Perrault? Le pére ou le fils? Le comun lecteur ne s'embarrasse pas de ces scrupules: il ne connait qu'un seul Perrault, l'auteur des Contes, qui couronne une gloire aveugle. Ainsi les Contes de Perrault ne sont pas du Perrault qu'on croit; mais ils sont, tout de même les Contes de Perrault. C'est à peu pres la conclusion préconisée par l'humoriste Mark Twain pour le théatre de Shakespeare, qui n'est pas de Shakespeare, dit-il, mais d'un autre auteur qui s'appelait comme lui.

As crianças, felizmente, não sabem dessas coisas. Para elas, todas as histórias brotam simplesmente na vida como as estrelas do céu e as flores do jardim, brilhando por algum tempo na sua imaginação riquíssima, e deixando nela um vestígio de alegria que, unido a outros vestígios, compõe esse mundo interior, maravilhoso e mal conhecido, que à noite se ilumina para a festa de cada sonho.

As crianças têm essa sabedoria, que já nos falta, de não se interessar pelas coisas determinadas e indiscutíveis. Seu universo não exige realidades: admite todas as aparências. Por isso, enquanto são assim, não sofrem. Ainda não dependem de impossível nenhum. Estão em "condição absoluta", por assim dizer.

Depois, a gente lhes vai ensinando a ser relativas. Vai transmitindo essa arte de sofrer, que os outros também nos legaram, e em que, uns e outros, somos tão generosos...

Depois, a gente começa a discutir de que Perrault eram os contos, e, por causa disso, chega a escrever um "Comentário" deste tamanho. A criança sabe apenas dos contos. E nem disso. Da alegria que eles lhe deixam. Ela é, assim, prática, também... Eu tive uma ama que era exatamente como são as crianças. E, quando me contava as histórias de Perrault, contava-as numa versão própria: começava pelo primeiro e ia até o último, emendando todos uns nos outros. Se ela soubesse que esses contos existiam num livro, teria ficado espantada. Porque eu tenho certeza de que os contava convencida de que eram, mesmo, verdade...

Rio de Janeiro, *Diário de Notícias*, 2 de agosto de 1931

Livros para crianças [II]

Por mais de uma vez temos aludido à nossa penúria em matéria de livros infantis. O que possuímos é pouco e, além de pouco, de inferior qualidade. As traduções nem sempre são boas, porque em geral se desdenha a criança, e admite-se criminosamente que qualquer coisa que a entretém é já leitura interessante. Isso é um erro grosseiro, aliás, dos que se querem ver livres dos filhos ou alunos, e, à conveniência de os verem entretidos, sacrificam a incerteza de os verem educados.

Um autor para crianças é coisa difícil. Facilmente se cai ou na futilidade ou no tédio. Ou vêm os livros sentenciosos ou as histórias sem pé nem cabeça. Nesse capítulo, tudo ainda está por fazer, e bom será que ninguém se apresse, para não aumentar mais o mal.

Acabo de ter, porém, uma prova terrível de como o livro pode, como dizia Esopo, da língua, ser a melhor e a pior das coisas.

Uma criança de 11 anos retirou de uma biblioteca escolar um livro para ler em casa. Nesse livro encontram-se os seguintes trechos, que transcrevo contrafeita, pedindo desculpas ao leitor:

> E curvou-se sobre a mão sem luva que, marfinada, perfumada, esguia, brincava com as pregas de cetim da capa. Seus lábios cobriam-na de doces beijos que, insensivelmente, subiam para o braço, quase todo nu, em obediência à moda.
> [...]
> Nem por um só momento admitia que a jovem viúva, nascida para o amor, se confinasse na solidão da viuvez. De certo que, mais dia menos dia, – se é que isso não havia acontecido já – arranjaria um amante ou encontraria um marido, tanto mais que ela não se deveria ter enamorado muito do primeiro...
> [...]
> ... a elegante graça do seu corpo, a harmonia dos movimentos, o tom aveludado das carnações, cujo contato deveria ser adoravelmente doce. E, brutal, assaltou-o a tentação de fazer sua aquela mulher que parecia

não ser de ninguém... Teve, no entanto, a intuição de que ela nunca se entregaria sem amor... Mas estava já preparado contra a resistência que temia por instinto...

[...]

... viu entreabrir-se a boca deliciosamente fresca que apetecia colada à sua, e um clarão...

[...].

Nele, que um surdo desejo constrangia, passou em torrente a visão dela, despida, aninhada nos seus braços, ao passo que a sua boca beijava as pálpebras cerradas...

Constituir uma biblioteca escolar não é coisa fácil. Corre-se o risco de ser deficiente com critério ou abundante sem ele. Tudo só porque, como dissemos antes, não temos livros para crianças. Mas os poucos que lhe pareçam servir, convém sejam lidos pelos responsáveis, antes de irem parar às suas mãos. Parece que, entre deficiente com critério e abundante sem ele, melhor será continuar deficiente. O leitor não está vendo o exemplo antes transcrito?

Rio de Janeiro, *Diário de Notícias*, 4 de novembro de 1931

Livros para crianças [III]

Os *Anales de Instrucción Primaria* de Montevidéu acabam de trazer-me um interessante artigo do professor Hipólito Coirolo sobre o livro *Poesia*, que acabam de publicar os educadores Humberto Zarrilli e Roberto Abadie Soriano, – primeiro de uma série que, além desse, compreenderá *Campo, Natureza e Universo*, destinados todos às escolas rurais.

O artigo trata, mais uma vez, da dificuldade de se escrever para a infância: da confusão que se costuma estabelecer com o sentido da leitura, todas as vezes que ela fica reduzida a uma simples ginástica oral, sem nenhuma ressonância de beleza no pensamento e no coração.

Mais uma vez se recorda aqui a secura dos livros feitos com o simples intuito de venda fácil: livros que não provêm de nenhuma vocação, que não representam um sonho de comunicabilidade entre os seus autores e os leitores a que se destinam; que se resumem num certo número de páginas impressas, lançadas à sorte, sem uma intenção mais alta, pairando sobre a sua aventura...

Hipólito Coirolo diz assim:

> *La aridez escalofriante, la chatura suprema, el infantilismo deprimente de la mayoría de los antiguos textos, están reemplazados en este volumen por la riqueza de las sugestiones, por la altura de los conceptos, por la beleza de la forma y por la profundidad dignificante de una moral para hombres – es decir – de una ética basada en la realidad de los hechos y las emociones que de ellos se desprenden, y no en el recitado y repetición mecánica y fría de máximas absurdas, arbitrarias e infexibles.*

Neste livro *Poesia* tudo é diferente, diz ele. E mostra quais foram os propósitos dos seus autores, citando-lhes as próprias palavras que aqui traduzimos:

> Sonhávamos fazer livros que não fossem só para aprender a ler, mas também – e isso é o mais importante – livros para ler, livros cuja leitura encantasse, livros que não afastassem a criança da sua maravilhosa

Crônicas de educação 4 • 109

psicologia, mas que, ao contrário, fizessem com que as crianças se sentissem verdadeiramente crianças. Livros em que as crianças se sentissem respeitadas nos seus direitos inalienáveis, isto é, em que não fossem caluniadas com a crença de que se podem interessar pelas coisas banais e pueris, ou ainda que só se pode reservar para elas o que é pueril e banal.

O professor Hipólito Coirolo encontrou uma tal virtude poética nesse livro, que se sente, em seu artigo, uma certa inquietude pela compreensão justa que ele possa merecer, quando diz: "este sentido poemático que vibra em todo o livro poderá talvez assombrar e assustar as almas velhas, mas encantará as crianças, cujas almas jovens ainda estão confundidas com a beleza primordial".

E realmente é assim. Mesmo sem se conhecer o livro todo, pode-se, pelas citações do artigo, sentir o que há de simples e grandioso, de ingênuo e comovente, de tímido e de infinito, num livro com páginas assim:

"El Sol se va. Ya sale la Luna llena. El llano está lleno de la luna. Se ve la luna en las olas. Las olas están llenas de luna. Mamá, se ve la luna en tus ojos. La luna es bella y tus ojos más bellos, mamá."

Não é nada: mas é a comunicação da criança com o universo, com o universo que está nos astros e nos planetas e nos olhos maternos, em que adormece o conhecimento silencioso do segredo da vida.

Uma outra página, em que a luz agora se converte em cores:

Las colinas se aman. Las colinas están como unidas de la mano. Como las niñas se unen cuando cantan. Las colinas son las niñas del campo. Como ellas tienen faldas vistosas. Faldas con dibujos de casitas y de vacas manchadas. Las colinas son lindas. Son tan lindas que el mismo sol se acuesta en ellas. Cuando se acaba el día.

E esta, do riacho, que eu não resisto a traduzir, tanto acredito que a sua beleza nem traduzida se perderá:

O riacho nasceu no monte. As pedras ensinaram-lhe a caminhar. Assim vivia contente. Mas um dia vieram os pássaros. Os pássaros que narram coisas belas. O riacho teve inveja dos pássaros. E quis voar, voar para ver o céu aberto. Os animais belos que pastam na planície. Ver as árvores. Andar descalço com as crianças que correm no campo. Ver as estrelas baixando nos seus olhos. Como nos olhos dos meninos belos. Então, deu salto para voar. Não voou, mas caiu como torrente. Quando chegou à planície, achou-se cansado. Mas era feliz, vendo o céu e as crianças.

Como era bom, deu de beber às árvores e aos animais mansos. Quando veio a noite, estava longe do monte. A lua teceu-lhe uma coberta de luz. E ficou adormecido sob os salgueiros.

Isto é um livro para crianças. Um livro que qualquer homem pode ler sem achar mesquinho. Porque a infância, que anima até a morte o nosso coração, a infância que é o nosso sentido de existência, que é a nossa lembrança de filiação com a eternidade, não sente aqui a frieza artificial dos livros que limitam a vida em pequenos aspectos sem aquela capacidade de, em todos eles, deixar a sua forma integral que só integral satisfaz, como alimento humano.

Rio de Janeiro, *Diário de Notícias*, 26 de abril de 1932

Livros infantis

Já escrevemos várias vezes sobre este mesmo tema, chamando a atenção para as dificuldades de se escrever para a infância e as responsabilidades imensas dos que a tanto se arriscam.

Tivemos, também, ocasião de apresentar aqui algumas tentativas desse gênero, absolutamente bem inspiradas e orientadas, cujas sugestões de beleza nos pareciam capazes de levar adiante o poder dessa inspiração e dessa orientação.

Hoje, porém, queríamos falar particularmente do compêndio escolar, não do livro literário: do compêndio em que se oferecem à criança inúmeras noções, no decurso da sua vida de colegial, e que geralmente se fixam com tenacidade, para o resto da sua existência, insistindo nos efeitos tanto das suas virtudes como dos seus erros.

Para esses compêndios – e principalmente para os de geografia e história – voltam-se agora, além dos professores, os pensadores, os estadistas, os pacifistas, pela compreensão dos perigos que se tem vindo insinuando no destino da humanidade, veiculados por essas páginas, nem sempre fiéis, que os olhos inocentes das crianças percorrem e absorvem indefesamente.

É certo que a história e a geografia são duas fontes poderosas para a aquisição de elementos úteis ou perniciosos ao bem-estar do indivíduo e da sociedade.

Há, porém, que atender a várias outras fontes – e, às vezes, a simples apresentação de um assunto ou o seu comentário dão lugar a manifestações deploráveis, tanto de ideias pessoalíssimas, – cujo defeito menor pode ser o de pretenderem ser extraordinárias e únicas – como de velhas ideias, que, além do defeito anterior, que lhe costuma ser comum, pecam ainda pela importunidade, – defeito maior que todos, defeito que altera todos os valores, que prejudica todas as forças em crescimento, que paralisa a atividade criadora, que perturba, enfim, todo o equilíbrio humano e universal.

E que atenta contra a paz. Ora, a paz é a nossa divindade de hoje. Por ela, síntese de todas as outras, estamos vivendo esta vida tão cheia de obstinação contra infortúnios e desânimos. Aqueles que estamos vivendo uma bela e tormentosa vida assim.

Por isso, precisamos estar vigilantes quanto a esses pequenos (e imensos) crimes que vão cometendo as silenciosas páginas dos livros – muitos dos quais sem culpa, e repetindo apenas versões errôneas, desfiguradas ou envelhecidas.

É, aliás, uma obrigação não apenas de professor, não apenas de pai: uma obrigação da sinceridade humana para consigo mesma. E não haverá paz enquanto as criaturas não se resolverem fazer uma sincera correção em si mesmas e nos outros, visando, para além das órbitas mesquinhas da sua pessoa e dos seus imediatos dependentes, os horizontes gerais em que se confundem com o próprio infinito os séculos, os povos e as raças.

Rio de Janeiro, *Diário de Notícias*, 18 de setembro de 1932

décimo primeiro núcleo temático

INTERCÂMBIO ESCOLAR

[Inauguração da Escola Uruguai]

Realiza-se dentro em pouco a inauguração da Escola Uruguai, instalada num desses novos edifícios que a atual administração em boa hora mandou construir. Já é alguma coisa, enquanto todas as escolas não podem dispor da comodidade de que necessitam para a finalidade que lhes incumbe, – podermos ter, ao menos, bem instaladas as que têm por patronos personalidades ou países estrangeiros. Quem conheceu a antiga Escola Sarmento, ocupando um prédio em ruínas, sem ter lugar, sequer, para o busto do grande vulto que lhe emprestou o nome, e que jazia do lado de fora do edifício, exposto ao tempo, pode avaliar quanto se pode afligir, em tais condições, uma professora que, a cada instante, pode ter de receber algum hóspede que, precisamente, vem visitar a escola atendendo à sua denominação.

É necessário não perder nunca de vista esses detalhes, que, embora a muita gente pareçam secundários, são, no entanto, de extrema importância, porque neles vai a exteriorização da nossa cordialidade, a demonstração do nosso carinho e do nosso interesse pelos que chegam a esta pátria, que já logrou, e precisa conservar cada vez mais ampla, fama gloriosa de hospitaleira, por excelência.

É, porém, muito comum pecar-se, tanto por excesso quanto por deficiência. E não é raro que, à força de levar ao máximo uma qualidade, se recaia num defeito, ou no ridículo, o que é talvez ainda pior.

Esperemos com a mais entusiástica alegria os que aqui chegam, em missões de confraternidade. Recebamo-los de braços abertos. Façamos da sua passagem uma oportunidade para levar mais longe os horizontes do nosso idealismo e do nosso bem-querer. Sejamos, porém, prudentes, fazendo-o... Lembremo-nos de que não são os enfeites das escolas, as exibições apressadas, artificiais e insignificativas de trabalhos e de aptidões o elemento capaz de aproximar numa união profunda e útil aqueles que as circunstâncias aproximam. Lembremo-nos, principalmente, de que, enquanto atordoados por esses preparativos funestos, os professores perdem a noção de realidade capaz de lhes permitir considerar serenamente o que apresentam, e como se

Crônicas de educação 4 • 117

apresentam, – o hóspede, naturalmente curioso, desejoso de observar, notará com uma clareza muito maior essas pequenas falhas por excesso...

Sejamos amigos. Saibamos ser amigos. Mas a condição mais elevada da amizade reside na pureza simples, que não se desvia por aparências falsas, nem com o propósito de honrar os próprios amigos.

Não nos esqueçamos de que, por mais que se transformem as coisas, elas sempre se manifestam como são.

A escola tem de ser um exemplo de sinceridade. Que pensariam os hóspedes que as visitam, e as crianças que as frequentam, se as cobrissem de um aparato de última hora, para essa coisa belíssima – e, por isso mesmo, exigindo toda a isenção de falsidade, – que a visita amistosa de homens que apenas o nascimento separou no mundo sem, portanto, os deixar de fazer irmãos?

Rio de Janeiro, *Diário de Notícias*, 16 de julho de 1930

Um episódio inesquecível

A inauguração da Escola Uruguai, que ontem se realizou num ambiente da mais franca e elevada cordialidade, deu lugar a uma cena que só nós observamos, como se o destino a tivesse preparado especialmente para nossa alegria, nosso entusiasmo e nossa esperança.

Imaginai uma atmosfera de festa, com flores, música, visitas, essa perturbadora atmosfera em que os próprios adultos, solicitados por múltiplos interesses, perdem um pouco da sua serenidade, dominados pela emoção e alegria coletivas.

Imaginai uma sala em que se acham expostos alguns trabalhos feitos pelas crianças, em classe, e destinados a levar ao Uruguai a lembrança da escola em que estudam.

Imaginai, alheadas de toda a agitação, frente a frente, como encarnando a intenção daquela magnífica festa, uma criança brasileira e uma criança uruguaia.

Diante delas, na parede, o desenho do escudo oriental, traçado a lápis, por alguma pequena mão ainda pouco hábil e, numa folha de papel, pequenas frases assim: "Brasileiros e uruguaios, somos todos amigos", "Estamos ligados por traços de amizade que nos tornam irmãos" etc.

E imaginai que a menina brasileira, passando delicadamente o braço em torno da cintura de sua companheira, lhe diz: "Vamos, leia! Sabe o que isto quer dizer?" E vai seguindo com a ponta do dedo a frase, que a outra, interessadamente, balbucia, traduzindo: "... *de amistades que nos hacen hermanos...*"

"Então! Como você já sabe português, hein?", diz a brasileira. E a outra, embora na sua língua: "É verdade! Como se entende facilmente!"

A cena continua. A menina brasileira mostra o escudo que os colegas desenharam, e explica: "Sabe? Eles foram olhando para aquele (e aponta um escudo oficial na parede) e foram fazendo este!" E a outra, passando a ponta do dedo, como quem quer sentir o lápis: "Como está bonito. Tão bonito que está!"

Lá fora continuava o rumor da festa. Discursos. Palmas.

Para nós, o episódio mais lindo de toda a festa lindíssima estava ali, naquelas duas crianças que, sem o saber, realizavam com os seus pequenos corações afetuosos e sinceros essa aproximação que é a inquietude de todos os governos, e que as crianças é que podem realizar, se a educação lhes permitir manterem na vida a sua condição de pureza e liberdade, sem a qual não existe obra de confraternização.

Rio de Janeiro, *Diário de Notícias*, 20 de julho de 1930

Intercâmbio escolar

Sendo, na verdade, uma das oportunidades mais ricas de sugestão e valor educativo, a obra do intercâmbio escolar precisa ser bem compreendida, a fim de que os seus resultados sejam positivos, eficientes, e não aparência enganadora de uma intenção corrompida.

Não há nada mais doloroso, para quem está acostumado a tratar a infância com elevação, que assistir a espetáculos em que ela aparece com falsas atitudes, realizando caprichos de adultos, que dela se servem sem consultarem as suas possibilidades íntimas, e a consequência futura dessa intervenção desastrosa num mundo que tem leis próprias e delicadíssimas.

Desejar aproximar a alma das crianças distantes num convívio de doçura profunda, capaz de preparar mais tarde uma união séria e firme de todas as vidas, é, certamente, empresa que entusiasma e empolga. Empresa que contém um gosto de purificação, uma espécie de retratação da humanidade através do seu elemento mais suscetível de transfiguração: a infância.

Se é bela, porém, a tentativa, essa mesma beleza agrava a sua dificuldade.

Porque as mãos que a dirigem devem ser singularmente hábeis, e excepcionalmente puras, devem, elas também, estar ungidas desse perfume de sinceridade, sem o qual não se consegue imortalizar nenhum gesto...

Procurar colocar no coração das crianças a luminosa fé na alma da coletividade em cuja obra terá de colaborar é tarefa que excede a todas as outras, realização que coroa supremamente todo o trabalho de educar, dia a dia elaborado com precauções e reservas.

Mas ninguém acredite que se possa chegar a executá-lo, se primeiro não o tiver realizado em si mesmo.

A maior parte das coisas não se ensina com palavras, mas com exemplos. E estas, de relevo moral, que não se podem explicar sem que se lhes tire algo da recatada delicadeza que é o seu apanágio, devem ir brotando de uma fonte silenciosa, inundando pouco a pouco a sensibilidade infantil, impregnando-a de persuasões espontâneas, que serão o apoio definitivo para a sua consistência e a sua solidez.

Este exemplo de fraternidade, que é a alma do intercâmbio pedagógico, revela-se a cada instante, sempre que há um encontro de personalidades. O meio social permite frequentes ensejos de se manifestar a íntima atitude que assumimos perante os nossos semelhantes. Nesses exemplos próximos a criança receberá inspiração para impulsos mais amplos. Precisamos vigiar todos os dias os movimentos da nossa fraternidade, para sentirmos com exatidão se estamos sendo úteis ou prejudiciais a essa obra tão promissora do intercâmbio escolar.

Rio de Janeiro, *Diário de Notícias*, 7 de agosto de 1930

Fraternidade

s relações internacionais tendem a tornar-se cada vez mais intensamente uma obra de fraternização para a qual devem estar atentas as mais altas inteligências e os mais compreensivos corações.

A interdependência dos povos, evidenciada cada dia, só pode manter um equilíbrio saudável quando todas as forças se resolvem a um acordo de possibilidades e a uma troca de dons que se compensam mutuamente, acrescidos dessa alegria de dar e de receber que é a única razão que torna agradável o possuir.

O trânsito das ideias, de uma terra para outra; o encanto do conhecimento das qualidades de cada povo (e mesmo dos seus defeitos); o gosto da visitação que se fazem as criaturas dos mais distantes países, ainda quando só em espírito: toda essa aproximação humana, que vence fronteiras e dificuldades de língua, conduz a um estado de fraternidade que apenas se desejaria mais extenso e permanente, a fim de que a paz não fosse ainda um sonho tão impossível, mas a situação natural conquistada depois de tantas experiências feitas por séculos tão ricos de civilização.

Não obstante a terra ser tão pequena, ainda somos quase todos estrangeiros, uns para os outros. As raças e as religiões têm sido as distâncias mais invencíveis para o convívio de que carecemos. E quando as criaturas ouvem dizer que são irmãs, há uma espécie de incredulidade, muitas vezes. Serão mesmo? E, para começar, o ocidental recorda o oriental, e sorri. O ariano lembra-se do fundo da África, e reflete...

Infelizmente tem de ser assim enquanto não se operar no mundo inteiro uma transformação que o humanize, corrigindo os excessos das transformações que, nacionalizando-o, limitaram-no a ponto de não deixar ver a cada um mais além do horizonte de sua geografia.

Essa transformação, para ser profunda e definitiva, é a obra educacional que a tem de realizar.

Pode não ser a obra deste ou daquele sistema, com esta ou aquela orientação, neste ou naquele instante. Mas é obra educacional, por esse preparo

Crônicas de educação 4 • 123

que dá, de indivíduo em indivíduo, à humanidade inteira, a fim de que, desenvolvidos em todas as suas possibilidades, e situando-se no seu próprio lugar, contemplem e compreendam a situação de todos os outros elementos, e sintam no panorama geral da vida o valor da sua atuação pelo sentido da sua responsabilidade.

A obra educacional não se propõe reduzir todas as criaturas vivas a um determinado padrão, antecipadamente escolhido numa escala. Mas o equilíbrio de que se necessita para o mundo não é o de um nível estático, que absurdamente se pretendesse fazer os homens alcançarem: o equilíbrio é feito de desigualdades que se harmonizam, satisfeitas todas elas com a posição em que se encontram, pelo simples fato de, dentro dela, estarem pondo em jogo, o mais intensamente possível, todas as suas atividades, para a sua mais brilhante expansão.

As desigualdades fecundam-se, inspiram, sugerem, atraem.

Como a vida é uma sucessão de ecos, – os sonhos que percorrem o tempo vão acordando outros sonhos, e a obra da criação se perpetua.

Na tranquilidade da vida de um indivíduo, como na tranquilidade da vida de um povo, o gérmen de um sonho poderoso que passe pode fazer surgir as mais incalculáveis coisas.

Eu estive pensando tudo isso porque Alfonso Reyes, essa interessantíssima personalidade que se conseguiu fazer mais antiga que a eternidade e mais jovem que cada amanhã, e, sendo a de um erudito mergulhado em volumes arcaicos, é também a de um poeta de agora, sensível a todas as loucuras da poesia – Alfonso Reyes me disse que vai ver se é possível que, com a exposição mexicana a realizar-se brevemente aqui, venha uma seção de arte infantil.

Se vier, se os meninos do México chegarem até o Brasil com a inquietude das suas cores luminosas, dos seus expressivos bonecos, naturais como a vida nascente, das suas paisagens primitivas, dos seus ornatos ainda embebidos daquele mistério asteca – linguagem que a gente entende sem ouvir, só por amor – que se passará na alma das crianças brasileiras cujos olhos se encontrarem com a alma de seus irmãozinhos lá de longe, tão surpreendente e tão bela?

Rio de Janeiro, *Diário de Notícias*, 23 de janeiro de 1932

Disciplina

Não é de inteligência, não é de heroísmo, não é de sentimento: é de disciplina que estamos necessitando.

Disciplina não quer dizer uma submissão passiva às coisas, uma subordinação à vontade alheia ou à força dos acontecimentos. Disciplina quer dizer uma colaboração consciente, uma ordem ativa, uma capacidade de compreensão dos assuntos e de escolha da posição justa para a sua mais perfeita solução. Disciplina quer, enfim, neste caso, dizer o nosso próprio sentimento de responsabilidade, diante de cada problema, e a voluntária aceitação da tarefa a cumprir com mais proveito coletivo, embora também com mais dificuldade e sacrifício pessoal.

Onde mais se faz notar essa necessidade de disciplina é, justamente, em relação às questões de ensino.

Quem se dispuser a observar as contradições que surgem, por exemplo, todos os dias, na opinião que se formula acerca da Nova Educação, poderá ver por si mesmo, só com a claridade dos seus olhos, sem nenhuma sugestão estranha, os perigos que resultam dessa notória falta de disciplina, na consideração de uma coisa de tanta importância para a formação de um povo e a sua necessidade de consolidação e grandeza.

Não se levam a sério esses problemas, fora do círculo de um determinado número que, como quase sempre sucede, estuda e procura resolver, – sob a indiferença e quase sempre até sob a má vontade de inúmeros, – aquilo que devia ser matéria de interesse senão na totalidade, pelo menos da maioria. É verdade que tem sido quase sempre assim pelo tempo afora: que uma elite reduzida é que sempre se tem imposto a si mesma a dificílima incumbência de se colocar à vanguarda dos movimentos de que devem surgir os grandes melhoramentos humanos. E essa mesma elite, por esse mesmo devotamento, se sujeita previamente a sofrer tudo quanto vier para a atacar e afligir, consolando-se com a consciência das razões profundas que a mantêm inalterável na sua situação. Mas, porque sempre tenha sido assim, é argumento a menos para que continue a ser; porque a experiência do passado devia ser utilizada pelo presente com mais coerência e lucidez. O exemplo de erros vividos anteriormente não autoriza novos erros, mas, ao contrário, deveria sugerir possibilidades mais esforçadas de acerto, e visão mais nítida para o alcançar.

Enquanto meia dúzia de criaturas trabalha denodadamente no estudo atento dos problemas educacionais, a que todos deveriam dar igual importância, acompanhando-o com curiosidade e isenção, procurando compreendê-lo, antes de o discutir, e de o atacar, – enquanto essa meia dúzia trabalha, é o contrário que se vê: surgem de todos os pontos definições propositalmente errôneas, julgamentos premeditadamente viciados, agressões inúteis, mas claramente movidas por interesses estranhos à boa solução desses problemas, e que, por isso mesmo, perdem o valor, que deveriam ter, de colaboração necessária à obra comum.

A Nova Educação não sofre, propriamente, com isso, senão aquela mesma proporção de injustiça que todas as grandes obras têm sofrido através do tempo. Quer dizer, – não fica prejudicada na sua eficiência, que é uma fatalidade da época, uma floração natural do instante, cuja realidade não se modifica, sendo percebida apenas pela acuidade de um pequeno número.

A Nova Educação não fica, na verdade, prejudicada: apenas, os que a ela se dedicam, pelo próprio poder que lhes vêm das observações que se entregam, sentem que há em redor um esquecimento de disciplina e de participação no trabalho que tira toda autoridade às críticas, aos ataques, e até mesmo ao elogio puramente superficial, comodista e interesseiro que lhe sejam feitos.

Mas ao Brasil, para sua formação, seu equilíbrio, sua consciência de si mesmo, e sua dignidade, é que se faz, por isso, imprescindível a adoção de uma medida de disciplina.

Rio de Janeiro, *Diário de Notícias*, 30 de abril de 1932

Camaradagem

onfunde-se comumente o sentimento de camaradagem com o sentimento de complacência. E sob essa expressão dá-se agasalho às pequenas ou grandes fraquezas da tolerância com que os agrupamentos sustentam a coesão dos seus elementos.

Ora, a camaradagem, para ser na verdade um sentimento de valor, deve começar por uma observância respeitosa de todos os outros, e uma grande atenção no distribuir da justiça e na prática da solidariedade.

Estimular ou garantir a coesão de um grupo nem sempre será uma interpretação exata de camaradagem – pelo menos, pode ser uma interpretação diminuída ou desvirtuada. Isso depende dos recursos empregados, da intenção que os orienta, da finalidade que se visa.

A camaradagem, como todos os sentimentos que impliquem elevação humana, deve basear-se em interesses superiores e propor-se um caminho nobre, de inflexíveis propósitos.

A camaradagem é uma participação ativa da vida em conjunto, com todas as graves exigências e responsabilidades que daí decorrem.

Quanto mais se alarga a órbita da ação que exercemos, também maior se faz a necessidade de agirmos com lucidez, a fim de que os reveses e os fracassos possíveis, que individualmente seriam suportáveis, não recaiam sobre aqueles que, pela sua proximidade, possam ser afetados por essas consequências.

Ora, no viver coletivo, as ameaças que pesem sobre os companheiros devem merecer ainda mais atenção que as alegrias e as vitórias que por acaso tenham de vir.

A camaradagem é também uma afetuosa vigilância: uma previdência, – não apenas aprovação incondicional, ou simples e humilhante consolação de horas difíceis.

Mas a palavra tem-se vulgarizado num uso apressado e contínuo. Chama-se camaradagem a essa complacência, a essa benevolência que facilita todas as empresas e deixa livre passagem a todos os erros. É uma lamentável confusão de conceitos que, no entanto, devia ser evitada para a feliz

Crônicas de educação 4 • 127

compreensão dessa virtude que só aqueles que sofreram muito sabem o justo e precioso valor que tem.

Lembremo-nos de Remarque, nas suas memórias de guerra: ali estavam aqueles pobres homens dolorosos obedecendo à fria imposição das armas e traçando caminhos de desgraça por sobre prévios arrependimentos.

No meio de todas aquelas angústias, acordava neles a noção de si mesmos e da vida: o que eram e o que faziam. E o panorama da humanidade por detrás do delírio da guerra...

Nesse instante, uma palpitação fraternal animava aqueles corações constrangidos. Todos sentiam a sua unidade, sofrendo. Todos sentiam seus deveres e seus direitos, sem fraude, sem hipocrisia, sem véus. E sabiam o que fazer uns pelos outros.

Era isso a camaradagem. Um nome atenuado do amor.

Rio de Janeiro, *Diário de Notícias*, 26 de junho de 1932

décimo segundo núcleo temático

EDUCAÇÃO, JORNALISMO, RESPONSABILIDADE E CENSURA DA IMPRENSA

Jornalismo e educação

A atuação da imprensa na formação do povo é problema desde muito tempo incluído nas cogitações de todos os que se interessam pelo aperfeiçoamento da vida.

Não é preciso ser-se pedagogo para se compreender a perniciosa influência proveniente da provocação do interesse público pelos fatos cuja importância reside na própria extensão da sua gravidade e inconveniência.

Tudo quanto abala os nervos, tudo quanto revolta os sentimentos, – tragédias, roubos sensacionais, vícios, escândalos, calamidades privadas ou públicas – merece, em geral, lugar de destaque, tipo de destaque, e copiosa elucidação fotográfica, nos jornais.

Há leitores aficionados desse noticiário rubro-negro. Há, mesmo, colecionadores dessas páginas violentas, que as releem como romances, e certamente com mais volúpia, sabendo-as vividas na realidade.

Por mais que isso lisonjeie os talentos literários dos autores dessas colunas, conviria refletissem eles mesmos sobre as sugestões que delas se desprendem, sobre os reflexos que reproduzem, nessa macabra repetição de crimes, idênticos uns aos outros, que se verifica constantemente, quando um primeiro, bastante comentado e desenvolvido, se impõe como origem para toda a série.

É só observar um pouco, para se verificar que há "épocas" para certos fatos policiais: semana dos enforcamentos, dos suicídios com querosene, com tóxicos etc. Época dos infanticídios. Época das cenas de ciúme, com o quinto ato à porta do cinema ou do escritório. Temporada dos roubos com máscara e narcótico, dos raptos misteriosos, dos incêndios etc.

O jornalista que, sentado à mesa de trabalho, vai fazendo ressurgir no papel todo o drama ocorrido não pensa, fazendo-o, que aqueles que o vão ler são criaturas das mais diversas tendências, nas mais diversas situações morais, nas mais imprevistas situações físicas.

Os habitantes das grandes cidades, principalmente, são frequentemente vítimas do meio, e, como tal, contínuos exacerbados, sofrendo todas as

Crônicas de educação 4 • 131

consequências que o meio compacto determina, sem falar nos graves problemas íntimos que cada um carrega como pode em qualquer parte do mundo, mas que, aí, em razão de todas as outras preocupações, têm uma palpitação diferente.

A solução que o sr. A e a sra. B encontraram, para os seus respectivos casos, traz, muitas vezes, uma sugestão que, considerada com a rapidez insensata com que se leem as folhas, nos bondes, nos trens, nas barcas, pode ser traduzida, quase num movimento reflexo, por uma repercussão do mesmo gênero.

O jornalista não terá concorrido com uma intenção criminosa. Mas, quando alguém participa tão diretamente de uma culpa dessas, a própria irreflexão é cumplicidade.

Não são, porém, só os adultos que leem os jornais. São também as crianças. E muitas, por saberem ler melhor que as outras pessoas da família, servem de leitoras dessas monstruosidades que tanto interessam os adultos. Assim desperta a curiosidade de meninos e meninas, muitas vezes em transições de idade, em estado de crise emotiva, portanto, para os piores aspectos sociais, para esses que dão à vida uma fisionomia de amargura e desgraça capaz de produzir gerações inteiras de céticos, instáveis, neurastênicos.

As crianças das escolas conhecem com todas as particularidades os crimes que ocorrem cada dia: nome dos personagens, local do fato, antecedentes, armas, – e acrescentam a tudo isso a opinião de cada vizinho do bairro. Algumas vezes, também a sua. Conversam sobre isso umas com as outras. Tentam até reproduzir com os gestos a descrição que leram. Se acham [...], distribuem pelos colegas as alcunhas dos personagens mais façanhudos.

De onde se originaram tão graves coisas? Do jornal.

O jornal deve registrar o que se passa. Mas sucintamente. Como informação. A fantasia humana tende a ocupar sempre maior espaço, como os corpos gasosos. Também tem a sua utilidade. Mas, inegavelmente, tem os seus perigos. E ainda quando não se trate de desenvolvimento imaginário, é tão evidente o perigo do próprio realismo jornalístico que, por um dever de humanidade e educação, seria conveniente controlá-lo.

Pessoas da mais baixa esfera evitam dizer certas coisas diante dos filhos. É um instinto de pudor. Todos nós, que estamos atuando na vida, temos obrigação de considerar as crianças e os adolescentes que nos leem como nossos filhos. E na verdade o são, como o somos de todos que nos dão forma à personalidade, com alimento espiritual.

Rio de Janeiro, *Diário de Notícias*, 3 de agosto de 1930

Em favor da Casa do Estudante

A Casa do Estudante, que ontem inaugurou o seu "bazar" com tão grande animação e, durante estes 15 dias, estará em atividade a fim de angariar fundos para a realização dos seus elevados fins, é uma dessas instituições para cujo elogio todas as palavras se tornam poucas e mesquinhas.

Proteger a nossa mocidade, favorecer-lhe todas as aspirações louváveis, permitir que ela floresça em toda a sua plenitude e viva com alegria o seu tempo, que é o melhor da vida, sem dúvida nenhuma será uma dessas obras cujo valor se prolonga, vencendo a sua atualidade, e enraizando-se e alastrando-se pelos domínios da alma nacional.

Se pudéssemos descrever a existência de uma grande parte dos nossos estudantes, que só a golpes de heroísmo conseguem construir os seus mais leves sonhos; se considerássemos os sacrifícios que a mocidade faz, de muitas vidas, que dificuldades e desalentos atiram constantemente para a inutilidade ou para a morte; se refletíssemos sobre as coisas tristemente hostis que cercam esses jovens de hoje – nossos irmãos ou nossos filhos – edificadores desse amanhã que o mundo inteiro deseja melhor, – compreenderíamos que a Casa do Estudante já devia ser há muito uma realidade, nascida do apoio generoso e incondicional dos que a fortuna, tendo colocado em situações privilegiadas, têm, por isso mesmo, um compromisso moral tacitamente assinalado no seu destino.

Não veio, assim, a Casa do Estudante. Vem como um padrão de esforço e idealismo da própria juventude. Vem através de lutas acumuladas, de pequenas vitórias sucessivas, – com mais inquietude, mas também com mais entusiasmo; com mais dificuldades e mais valor.

É uma obra coletiva da juventude fervorosa, cuja bela alma, cheia de possibilidades, tão mal se conhece e tão pouco se respeita.

Não deve, porém, ficar entregue apenas à mocidade de hoje. A mocidade é um dom tão grande que por todos já foi ou ainda será distribuído. E todos que a receberam e os que a vão receber devem unir-se com alegria a essa mocidade que agora trabalha para criar uma das mais belas instituições que honrarão o Brasil – a Casa do Estudante.

Na quinzena da Casa do Estudante já figuram: bazares para a venda de livros, recitais, exposições.

Considerando que um grande número de estudantes universitários faz parte da imprensa brasileira, parece-nos que também a imprensa poderia trazer a esta iniciativa o seu eficiente concurso.

Por que não se oferecem para venda em benefício da Casa do Estudante os originais dos desenhos que os jornais cariocas publicarem em seus suplementos literários, durante esta quinzena?

É uma sugestão que oferece grandes possibilidades de êxito quanto aos resultados, sabido, como é, que todos os jornais cariocas possuem como seus colaboradores os nossos melhores desenhistas.

E, desde já, apresentamos aqui a adesão do *Diário de Notícias*.

Rio de Janeiro, *Diário de Notícias*, 7 de setembro de 1930

A responsabilidade da imprensa

Na vida moderna, o jornal tende, cada vez mais, a ser, para o povo, a forma rápida e imediata de cultura, e, como tal, a determinar-lhe uma orientação e a modelar-lhe um caráter.

Passaram os tempos em que se podia dispor de longas horas de estudo, em muitos e variados livros. Hoje, as horas sôfregas absorvem-nos inexoravelmente e temos de ir para a frente, na vertigem dinâmica do século, ainda quando cheios de saudade da contemplação e da meditação sacrificadas. Porque é também uma característica da época essa obrigação de nos privarmos de muita coisa pela ansiedade de oferecer ao mundo o nosso voluntário esforço para sua transformação e evolução.

O jornal substituiu a biblioteca. Até na escola se verifica a vantagem de fazer a criança ler o que de mais interessante vai acontecendo pela terra, dia a dia, pondo-a desde logo em comunicação com os fatos vivos, em vez de lhe transmitir a ciência dos livros muitas vezes já em atraso.

Temos necessidade de estar ao corrente de tantas coisas que o noticiário sucinto do jornal é a súmula indispensável para estarmos ao par da atualidade.

Mas, como sempre sucede, por isso mesmo que o jornal sobe de importância, como órgão informativo, sua responsabilidade cresce também, proporcionalmente, pois é mister que seja o mais verídico possível, para que não conduza ao erro o povo que se orienta pela sua leitura.

Bem sabemos que muitos sorrisos céticos se esboçarão com essa ideia de querer jornais verídicos. Os educadores, porém, têm permissão de tudo esperar, porque eles são os acalentadores do sonho de um mundo transformado pela pureza, pela justiça, pela dignidade. Os educadores não duvidam – sob pena de alterarem a sua natureza moral.

A Nova Educação tem, principalmente, essa vantagem: de não se dirigir apenas à escola, à criança e ao professor. Ela atua sobre a família, a sociedade, o povo, a administração. Ela está onde está a vida humana, defendendo-a, justamente, dos agravos que sobre ela deixam cair os homens que se converteram em fantoches, movidos por interesses inferiores, esquecidos das altas qualidades e dos nobres desígnios que definem a humanidade, na sua expressão total.

A Nova Educação conhece a responsabilidade da imprensa, verificando-a todos os dias através dos casos expostos nos jornais de maneiras tão diversas que, não raro, são completamente opostas. Sabemos que, por falta de tempo, muitas vezes, penetram nas redações e estampam-se nos jornais notícias redigidas pelos interessados e que não são suficientemente analisadas antes de virem a público. Nem sempre são exatas. Esse é o mal. Outras fontes originam outras informações. O povo lê e desorienta-se. O caso é tão frequente que chega a ser ridículo apresentar exemplos. Mas é que não queremos, de modo algum, perder este: o de um pai que veio a esta seção expressamente para nos perguntar se a Reforma Fernando de Azevedo é boa ou não é. "Uns jornais dizem que sim... outros dizem que não..."

Mas o sr. já "estudou" a reforma? Pois é preciso... É a única maneira de ter uma opinião certa. Estudá-la, primeiro, e depois observar se ela está sendo cumprida...

Os jornais também deviam fazer assim. E aprovar o que é aprovável, e censurar o que merecer censura. Não ficavam sem assunto. Mas também não desorientavam os leitores.

Rio de Janeiro, *Diário de Notícias*, 23 de setembro de 1930

Censura e educação

notícia de que de hoje em diante fica oficializada a censura prévia à imprensa é um motivo de graves apreensões para todos os que trabalham pelo êxito da Revolução de Outubro, e que multiplicaram o seu entusiasmo justamente quando, nos últimos dias do governo, uma censura idêntica a esta vinha mutilar dentro das redações o pensamento daquela porção de inteligência brasileira que traçou seu campo de ação dentro das fronteiras do jornalismo.

Ainda me lembro do delicioso censor daquele tempo, que não deixou sair, certa vez, nesta página, uma fotografia de policiais espanhóis, erguendo nos braços crianças que lhes agradeciam os serviços prestados na fiscalização do serviço de veículos, à porta das escolas. O censor achava que, naquele tempo de sobressaltos, uma fotografia assim iria sugerir aos leitores a ideia de "soldados raptando crianças...". E o clichê não pôde sair... De outra vez, o clichê se referia a um monumento de arte oferecido pelo Brasil à Argentina, em que duas figuras se aproximavam num gesto de fraternidade. O censor achou que essa história de Brasil e Argentina podia ser alguma sugestão para futuros conflitos internacionais... E o clichê também só pôde sair depois de caída a Velha República...

Por aí os senhores estão vendo como era a mentalidade dos censores, antigamente. Agora, com certeza, eles serão muito diversos... Tempos novos... Gente nova... Coisas novíssimas... Todo este ambiente que estamos vendo. Neste ambiente, só a censura, realmente, é velha. Só ela parece uma sobra do regime combatido. Mas, desta vez, como se destina, segundo informa o chefe de polícia, "só aos boatos e nunca à crítica dos atos governamentais..." – pode ser que dê excelentes resultados.

O boato, na verdade, é uma coisa antieducacional. Ele cria um ambiente de alarme, um estado nervoso favorável a todos os terrorismos, enfim, uma série de desgraças que só os tempos de governo calmo e consciente podem, eficientemente, impedir.

Mas a crítica aos atos do governo, pelo contrário, é tudo quanto existe de mais educacional. Tão educacional que até faz parte do programa das legiões, com as quais, justamente, o sr. Getúlio Vargas disse que ia governar.

Os jornais que analisam criteriosamente os atos do governo estão, ao mesmo tempo, cooperando na obra governamental, e educando o povo para nela cooperar também; é muito justa, pois, a ressalva que a polícia faz, discriminando as atribuições dos censores.

Mas – e perdoe-me aquele que vai ler estas linhas – pode dar-se o caso de aparecer algum que não dê conta de estar perturbando esse movimento educacional, como o colega já citado, dos tempos da outra República...

O público logo perceberá tudo, decerto, pela alteração que sofrerem as palavras dos jornalistas... Mas, os jornalistas como é que se hão de livrar das violências de tais censores? Que organismo vai ser criado, para censurar os censores, como esse de que tanto se fala, e que está faltando, o "Bureau Controlador dos Interventores"?

Não se pode prejudicar a obra da educação...

Rio de Janeiro, *Diário de Notícias*, 6 de junho de 1931

Coisas de máquinas

Não sei se o leitor deu por uma entrevista publicada domingo, nesta página. Se não deu, antes assim. Se deu, há de ter percebido, com aquela "luminosa inteligência" que o jornalista sempre lhe atribui, a troca da oitava por décima, nas estrofes conhecidíssimas de Camões.

Eu creio na inteligência do leitor. Sempre. Obstinadamente.

Mas o leitor pode não crer na minha. O que é muitíssimo natural. E, por isso, vou contar-lhe uma história.

Charley Lachmund, que o nosso mundo musical tanto admira, fez, ainda há pouco, uma conferência sobre música clássica. Charley Lachmund adora os clássicos. Falou comoventemente. Falou fervorosamente. Depois, numa vitrola especialmente colocada ali, para ilustrar a conferência, tentou-se fazer falar a alma de Bach. A máquina arranhou, arranhou, gaguejou, tropeçou... Uma coisa horrível. A assistência toda compreendeu. Mas, no dia seguinte, Charley Lachmund, que, apesar de clássico, também gosta de fazer graça, escreveu uma carta ao público, explicando a traição da máquina.

Pois, comigo aconteceu o mesmo. A história da décima não é minha. E, como não é também do linotipista nem do revisor (esses dois mártires responsáveis por todas as vírgulas deslocadas, letras desaparecidas, e outras coisas que em tipografia têm nomes muito curiosos), – só pode ser da máquina de escrever, desta máquina que, à força de escrever o que lhe peço, já resolveu ter ideias próprias...

E aí está o resultado de uma máquina que quer ter ideias.

Mas essa história da décima fez-me refletir demoradamente.

Pensei comigo: é assim que saem certas coisas. Coisas que só se explicam por lapso dos responsáveis. Traição da máquina... Da matéria... Da mão... Traições do espírito, enfim.

Quem sabe se não foi assim que veio a público o decreto sobre o ensino religioso, aquele *atrasado decreto*, na própria opinião do seu sincero autor?

Quem sabe se não foi assim que nesse recente despacho do Ministério da Educação se aludiu às *aspirações nacionais*?

Quem sabe se não tem sido assim que têm vindo a lume todas as barbaridades que se imprimem por aí, diariamente, sem uma censura especializada, que previamente salvaguarde a integridade do leitor?

Quem sabe? Quem sabe!

Eu acredito que sim. Sou de um otimismo sem declínio. De uma boa vontade infinita para com o próximo. E isso sem cálculo. Sem pretender que o leitor me pague na mesma moeda. Justamente porque me quero conservar otimista...

E, como pode ser que seja, e os responsáveis por esses lapsos não se tenham animado a corrigi-los publicamente, eu corrijo a décima da minha máquina. Pode ser que em outras máquinas venham a ser também retificadas... O leitor não acredita na eficácia do exemplo?

Rio de Janeiro, *Diário de Notícias*, 27 de outubro de 1931

A responsabilidade dos revisores

Eu não tenho nenhuma pretensão de não errar, nunca. Às vezes, até é bom errar um bocadinho, para se ter a alegria de acertar, depois...

Mas quando a gente acerta e os outros resolvem transformar, por sua conta, o acerto em erro – e infelizmente o contrário quase não sucede nunca... – é verdadeiramente lamentável. E mais ainda quando o erro sai direitinho, em letra de forma, como de propósito para os interessados duvidarem da nossa lúcida inteligência com os documentos na mão...

Assim é a vida. O que vale é que, depois de certo tempo, a gente se acostuma ao seu "equilíbrio móvel", como dizem os filósofos da *Rythmanalyse*, e paira sobre todas as coisas, intangível como os deuses, e com uma alegria maior, por mais consciente.

Tudo isso vem a propósito de uma revisão malfeita, que atentou contra o meu "Comentário" de ontem, como se tivesse havido, mesmo, alguma prévia combinação contra mim...

E eu gostaria de escrever hoje sobre a responsabilidade dos revisores na obra de educação popular, naquela porção da obra educacional diretamente ligada à instrução.

O leitor que toma um jornal começa, geralmente, por acreditar que o jornal é uma coisa infalível, certeira, indiscutível. Daí é que nasce o perigo do boato. Todo o mundo crê na palavra impressa. Talvez seja ainda um certo fetichismo... Também há coisas que só nos parecem bem ditas por escrito, ali, no papel, sem as indecisões da fala, com os seus alados perigos...

Põe-se a gente a escrever, sabendo disso, e, querendo fazer da imprensa um fator de cooperação no progresso geral, pensa cuidadosamente, procura ser justa, precisa, leal etc., todas essas qualidades necessárias para cooperar, de verdade.

Escreve tudo direitinho, relê, – por mais pressa que haja, por mais vontade, às vezes, que tenha de pensar noutras coisas.

O artigo sai conscienciosamente feito, de maneira que o autor se sinta à vontade para colocar embaixo a responsabilidade intransigente da sua modesta mas honestíssima assinatura.

Crônicas de educação 4 • 141

E vai para as mãos do linotipista. E o linotipista tem o direito de errar, às vezes, porque há revisores, encarregados, justamente, de surpreender qualquer descuido seu, repondo no lugar a palavra extraviada ou a letra perdida.

Eu faço o melhor juízo possível dos revisores, embora não conheça nem o de cá da casa.

Devem ser pessoas entendidas em gramática, em literatura, leitores do padre Vieira etc., uma vez que a sua profissão é dar pelas coisas que atentam contra a pureza do idioma, pelas alterações rebarbativas do castiço escrever.

Vai o revisor – e desta vez eu guardo aqui o documento para os meus incrédulos amigos – e tira-me o senso, que eu escrevi no artigo de ontem, põe-me esta barbaridade: censo.

Censo.

Palavra que não atino com a distração. Não estamos em tempo de recenseamento, que a palavra baile assim nos jornais...

Só se for alguma outra relação qualquer, mais letra, menos letra, que ande afligindo a alma dos revisores e tenha vindo à toda neste equívoco lamentável. Censo. Não consigo saber por quê. Talvez o leitor consiga. Ora pense lá!

Rio de Janeiro, *Diário de Notícias*, 18 de novembro de 1931

Aniversário

Dois anos de existência, para um jornal, nos dias de hoje, constituem já uma conquista valiosa, pelas dificuldades de toda espécie que se acumulam cada vez mais diante dos que, entre o desejo de interessar o público e o de o não trair, realizam o prodigioso equilíbrio da vida sustentada acima de todos os fracassos.

Dois anos de existência para uma página especialmente dedicada a assuntos educacionais têm também uma significação muito séria, quando essa "Página" se baseia numa intransigência sem restrições, quando se orienta exclusivamente pelo interesse de esclarecer o público, sem lhe impor nenhuma tendência facciosa, mas expondo-lhe o que é necessário para que se elabore com limpidez e independência a sua opinião sobre um problema ainda mal conhecido e a que, no entanto, está preso o sentido da nossa vida nacional.

Certamente, não poderíamos ter passado, de um salto, dos antigos tempos de empirismo a esta consciência nova de hoje, que se exerce, aliás, não apenas sobre a questão educacional. Dizer mesmo que já estamos do lado de cá não é falar senão por uma determinada minoria a que se devem, igualmente, o reconhecimento da situação anterior, o esforço de transformação e as realizações que constituem a nova fisionomia das reformas educacionais do Brasil: a da Bahia, a de Minas, a do Distrito Federal, a do Espírito Santo. Todas com alguns defeitos naturais às coisas destinadas a evolução. Todas com grandes qualidades, que só a cegueira dos ignorantes pode deixar de ver.

Cada uma das pessoas diretamente ligadas ao problema educacional, no Brasil, sabe que ele não é para ser resolvido em dois ou três anos, tais as exigências que lhe são inerentes, tais as dificuldades encontradas para atender aos seus detalhes, sem prejuízo para a obra de conjunto.

Necessidades de toda natureza impedem a imediata execução prática de tudo quanto se tem estudado e planejado.

Não é, aliás, razão para nos afligirmos: no mundo inteiro, em todos os tempos, foi assim. Os sonhos levam tempo a ganhar a sua realidade exata, principalmente quando não querem transigir em se perder uma deformação apressada.

Para se definir entre nós, a Nova Educação teria, naturalmente, de abalar todas as rotinas que sustentavam com seus ritmos tranquilos a nossa ilusão educacional. Ritmos tranquilos de peito que dorme, enquanto as horas correm sobre a insensibilidade do sono, e os panoramas se vão também transformando em redor.

Estivemos longamente adormecidos, e acordamos com sobressaltos. Essa é, mesmo, talvez a razão que explica certos descontentamentos e certos pânicos. Para quem dormir tão calmamente, nesse enlevo burocrático que constituiu o ideal de gerações passadas, é, de fato, difícil recobrar de súbito a clareza de pensamento e a disposição de trabalho indispensáveis à renovação educacional.

Mas há sempre um pequeno número que se seleciona pelo gosto da dificuldade – esse gosto que vem conduzindo para a frente o passo da civilização. Há um pequeno número que se devota à ação perigosa, desde que a reconheça justa, encontrando, em realizá-la, a sua própria razão de estar no mundo.

Esses, por vários caminhos, seguindo a sua vocação, contemplando os exemplos já vividos, dando-se à experiência de cada dia, estão formando o ambiente em que terá de surgir o destino futuro do Brasil.

A "Página de educação", criada pelo *Diário de Notícias*, foi, em dois anos consecutivos, um tributo voluntário a essa obra. Tributo arduamente defendido, cada dia, dos acasos da época e da variação das criaturas.

Dois anos de sinceridade, de desinteresse, de luta, de altivez e de fé. Talvez muitas vidas humanas não tenham tido dois anos assim.

Rio de Janeiro, *Diário de Notícias*, 12 de junho de 1932

décimo terceiro núcleo temático

CIVISMO NA FORMAÇÃO DAS CRIANÇAS, DOS ADOLESCENTES E DOS ADULTOS

Solenidades cívicas

Já vai longe, felizmente, aquele tempo em que se conduziam as míseras crianças diante das estátuas das praças públicas com o intuito de lhes formar os sentimentos cívicos, mediante discursos ininteligíveis, largamente espalhados em gestos bravios, a todos os ventos.

Que alegria verificar que nestes dez últimos anos sempre se tem feito algum progresso!...

Já vão longe as caminhadas sob o sol impiedoso, e algumas vezes sob a chuva imprevista, os pobres hinos estropiados pelas pequeninas bocas inocentes, as marchas e contramarchas com a fita verde a tiracolo pelas alamedas dos jardins, com a proibição de pisar qualquer folhinha de grama – sob a chilrada irônica dos pardais, que celebravam a alegria de nunca terem ido à escola...

Tudo isso vai longe, vai.

Uma compreensão melhor da criança e da pedagogia limitou às palestras escolares a comemoração das grandes datas. Palestras simples, aula tomando por tema o interesse do dia, linguagem comum, sem aquela retórica de antanho diante da estátua do personagem...

É preciso que seja assim, exclusivamente assim, para que não suceda serem as cerimônias de hoje apenas uma repetição das antigas, feitas com mais intimidade.

Não é com a exaltação retórica de um fato histórico ou de uma personalidade que se alimentam os chamados "sentimentos cívicos" da infância.

Além disso, a história, todos sabem como é feita... Dificilmente se pode descrever uma coisa que se presencia: fatores de tantas naturezas intervêm para que variem as interpretações! O testemunho histórico, ainda o dos autores acolhidos como insuspeitos, é sempre imperfeito, improvável. Admitindo que se obtivessem testemunhos insofismáveis, como apresentar suficientemente coisas de difícil compreensão, dada a transformação do ambiente, a ética dos tempos, o conceito de quem julga?

E à criança interessará toda a complicação política que é o fundo da história – propriamente dita?

E que critério preside à seleção desses fatos? Quais são os vultos reverenciados, quais são as façanhas louvadas, qual é a essência moral que resulta dessa contemplação do passado?

Felizmente, já ninguém ousa, com certeza, cantar o heroísmo guerreiro, incentivar o espírito militar, chamar a atenção da criança para a coragem de matar e a emoção de vencer. Estamos numa época de pacificação. Todos sabem o que vale a solidariedade dos povos. Todos compreendem que estar incensando todos os dias os valores nacionais, sejam quais forem, desde que nisso vá qualquer excesso, equivale a estar depreciando outras pátrias, que merecem ser respeitadas igualmente, como frações da terra – pátria comum. Todos sabem que o único valor que pode ser exaltado sem inconveniência é o do trabalho que pode ser útil a toda a humanidade: e os grandes homens dessa galeria vão-se buscar igualmente a todas as partes do mundo.

Mas, apesar de se saber tudo isso e de se terem sempre as melhores intenções, há lapsos, algumas vezes, a esse respeito. Não há lapsos mais funestos do que esses. Porque, mais do que erros, objetivos, de fácil correção posterior, o que sobra, dessas palestras comemorativas, é o sentido da atitude moral, é um panorama psicológico, é "o espírito" dos fatos e dos gestos. E isso se fixa na emotividade da criança, que obstinadamente o retém, absorvido em si, fazendo parte, desde então, de si mesma, do que é, e já do que vai ser...

Rio de Janeiro, *Diário de Notícias*, 29 de junho de 1930

As comemorações de domingo em homenagem ao "Marechal de Ferro"

Realizou-se, na escola que tem o seu nome, a comemoração do 35º aniversário da morte de Floriano Peixoto.

Às 10 horas, d. Elvira Miranda, diretora do Grupo, e a inspetora d. Loreto Machado, organizadoras da festa, constituíram a mesa, presidida pelo presidente do "Grêmio Floriano Peixoto", dr. Andrade Bastos, e pelos srs. Reinaldo Barreto Pinto, representante do presidente do estado do Rio, dr. Brício Filho, tenentes Arnaldo Fernandes Dorna e Luís Valentim, representantes da Polícia Militar, almirante Saddock de Sá, dr. Fonseca Hermes, capitão de corveta Aristides de Frias Coutinho, Azevedo Teixeira, Américo de Albuquerque, Gaspar da Silva Guimarães, inspetora Loreto Machado e dr. Artur Peixoto.

Era grande o número de pessoas presentes à festa, estando entre elas comissões de todas as escolas do 8º Distrito. Logo depois de constituída a mesa, foi dado início à festa com o Hino Nacional, ouvido de pé por todos os presentes. Em seguida a professora Aída Ramos Fonseca Hermes fez ligeiro discurso, muito aplaudido; a aluna Arlete Gotz de Almeida recitou a poesia "O imortal", sendo cantado depois pelos alunos o Hino da Escola Floriano; falou sobre a data o sr. Américo de Albuquerque, orador oficial do Grêmio Floriano Peixoto. Depois de entregue ao aluno M. M. Mattos o prêmio que lhe coube, foi cantada a "Marcha Floriano", em que tomaram parte todos os alunos. Depois de breve intervalo passou-se à segunda parte, iniciada com a "dança chinesa", pelos alunos do primeiro ano; os do segundo e do primeiro fizeram um exercício de ginástica figurada, intitulado "Laurinha foi brincar". Os do terceiro, quarto e quinto anos fizeram outros exercícios chamados "Saudade do Sertão"... Cantado o "Hino a Floriano", foi executada a última parte do programa, com um *match* de bola americana entre dois times da Escola Nilo Peçanha e do Grupo Escolar Floriano Peixoto, sendo vitorioso por 5x1.

Enviaram representante, além da diretora da escola José Bonifácio, que foi a primeira diretora do grupo escolar Floriano Peixoto, as escolas Pernambuco e Irajá.

São as seguintes as escolas do 8º Distrito que se fizeram representar: Nilo Peçanha, Antônio Prado Júnior, Diogo Feijó, Ester de Melo, Medeiros e Albuquerque, Alfredo Gomes e Uruguai.

Rio de Janeiro, *Diário de Notícias*, 1º de julho de 1930

Moral e Cívica

O curso seriado, tão combatido, a princípio, parece que já entrou na procissão das coisas normais, fila que se arrasta monotonamente, com preguiça de ir mais além e com um vago receio de ficar atrás.

À reação violenta do princípio sucedeu um período de resignação, de quase indiferença. Isso não faz esquecer a repulsa que encontrou a seriação no meio dos estudantes.

Entre os motivos alegados pelos que a combatiam estava a introdução de uma nova matéria: a Moral e Cívica.

Vejamos como pensa um aluno novato do curso seriado:

> – A Moral e Cívica? É um absurdo e uma tolice. Absurdo diante da lógica, e tolice diante da sua finalidade.
> – Como assim?
> – Para que serve a Moral e Cívica?
> "Para ensinar civismo? Mas o civismo é um sentimento espontâneo, que não se ensina, porque ele nasce conosco. Para despertar o patriotismo? Mas o patriotismo, como o compreende quase toda gente que vive a falar nele, é uma profissão ou um flagelo. O patriotismo belicoso é uma hostilidade externa que pretende beneficiar uma inexistente cordialidade interna...
> "E a Moral? A segunda parte da matéria, cheia de elogios, espalhafatosa como uma mulher vestida de verde e amarelo? O que ensina a Moral? Preceitos moralistas e moralizadores. Mas esses preceitos são convencionais e indeterminados. Os verdadeiros ensinamentos de moral não vão além do que se aprende no meio da família."
> – Então, se a Moral que a matéria ensina é falsa, que ensina ela?
> – Nada. Repete velhos preconceitos e dá definições erradas. Há um compêndio que define o duelo assim: "o duelo é uma coisa imoral proibida pela sociedade". E vai por aí afora, dizendo que não se deve fumar, porque fumar é feio etc.
> É essa a matéria nova que a seriação acrescentou. Para dar umas tintas de seriedade, empurraram-lhe meia dúzia de lugares-comuns, com uma gravidade acaciana...

– Então, quer dizer que a Moral e Cívica tem no meio dos estudantes uma porção de adversários?

– Quem foi que lhe disse isso? Ela é uma espécie de prêmio de consolação dos alunos vadios. Quem nunca alcançou um plenamente arranja-o com o exame de Moral e Cívica...

Assim pensa um aluno.
Como pensarão os professores?

Rio de Janeiro, *Diário de Notícias*, 26 de agosto de 1930

Educação Moral e Cívica

Estas considerações provêm da leitura de um livrinho destinado às crianças. De um livrinho que se propõe orientá-las justamente em assuntos de moral e de civismo, desejando, assim, influir na parte mais delicada da formação de uma personalidade: a sua parte espiritual.

Mais uma vez sentimos necessidade de repetir aqui o que já temos dito e repetido sobre a literatura infantil. Porque é preciso que fique, afinal, na convicção de todos a compreensão da responsabilidade de escrever para a infância, e em todos se estabeleça esta verdade mundial de que não há coisa mais difícil, mais delicada, mais grave, mais sutil.

Um pouco de psicologia ajudará a esclarecer a razão dessa dificuldade. Sem chegarmos ao ceticismo de Rousseau, nas páginas que, no *Emílio*, consagra ao assunto, teremos de perguntar, antes de mais nada, que coisas vamos dizer, num livro, que convenham, realmente, aos leitores pequeninos. A criança gosta somente daquilo que satisfaz um interesse da sua vida. Aprendamos, pois, a conhecer esses interesses. Não nos estejamos iludindo, desenvolvendo interesses *nossos*, e pensando que estamos servindo à infância. Ora, como a psicologia ainda não é estudada como devia ser, acontece, frequentemente, aparecerem autores desejosos de oferecer suas produções literárias às crianças, sem, no entanto, abdicarem das suas convicções, dos seus conceitos e preconceitos, e do seu estilo literário, para se porem em comunicação com essas maravilhosas criaturas que nada têm a ver com seu gosto de adultos... Daí nasce a abundante literatura inútil e prejudicial que, com o rótulo de "infantil", se ostenta pelas livrarias. Ninguém é obrigado a escrever para a infância. Pode escrever com mais facilidade e menos responsabilidade para aqueles que já têm a liberdade de escolher suas leituras. Bem sabemos que a criança se defende heroicamente, pondo à margem os livros que não lhe agradam. Mas a criança é curiosa. Antes de os pôr à margem, folheia-os. Quando, coitada, não tem de o ler em classe todos os dias um bocadinho, daqui até ali, numa leitura mecanicamente dosada...

Reflitamos agora: os assuntos de moral e civismo serão, realmente, para a criança livre de influências deformadoras, a criança que aparece à tona da vida perfeitamente isenta de atuações propositais, – tema de interesse, de satisfação, de beleza?

Incrustou-se na alma dos professores – talvez através da retórica que quanto mais patriótica se chama, na verdade, menos o é, – que as coisas mais importantes para uma criatura são: "amar a pátria", "respeitar o seu sacrossanto pavilhão", "cultuar os heróis que morreram lutando, ou que mataram muitos inimigos", e "inflamar o fervor dos homens de amanhã para serem dignos servidores da pátria, nas fileiras militares...".

Tudo isso é da velha pedagogia. Da pedagogia que não conhecia a criança. Que se exercia como uma prepotência a mais, neste mundo fecundo em prepotências.

Hoje, felizmente, sabe-se que a infância é a mais respeitável das fases da vida, – e também se sabe que o amor à pátria, para ser nobre, deve alargar-se em boa vontade pelo mundo todo: que respeitar a bandeira é respeitar em primeiro lugar a própria coletividade que essa bandeira representa; que os heróis que se cultuam não são mais os que tombaram nas guerras, ou delas arrancaram valiosos troféus; mas os que construíram alguma coisa, com as suas mãos ou com o seu espírito, e os homens que melhor servem à pátria são os que a servem trabalhando, ainda que calados e obscuros, e com a sua obra para sempre desconhecida.

Eu mesma já tenho lido observações como estas em prefácios e algumas vezes as tenho ouvido em discursos. Quer dizer que já constituem um lugar-comum. E o lugar-comum costuma ser um índice da opinião geral. Por que, então, no momento de agir, escrevendo um livro para crianças, ou dando uma aula, não se hão de pôr as coisas nos seus devidos lugares? Falta de hábito? Mas há uma reforma pedagógica, no Distrito Federal, que impõe aos que a servem um terrível dilema: ou transformarem os seus hábitos, de acordo com ela, ou desistirem de ser educadores. A transformação é facílima, porque de todos os lados nos vêm exemplos e sugestões: da Suíça, da Bélgica, da Alemanha, da Áustria, da Itália, do Japão, da Índia...

Não temos de fazer, é certo, o que nenhum desses países fez. Mas temos obrigação de conhecer que problemas originaram as suas soluções pedagógicas, e procurar a solução do nosso, que não é demasiado difícil.

Só então aparecerão livros *para a infância* dignos, na verdade, desse título. Não serão mais escritos pelo bom desejo, apenas, de terem leitores pequenos. Um bom desejo mal orientado ou esclarecido não está muito longe de ser um erro e um prejuízo.

E em assuntos de educação, principalmente, é preciso ter a atenção sempre voltada para o mal que se pode causar, sem querer, – e o que é mais doloroso – pensando fazer bem às crianças.

Que dizer, agora, dos temas de moral acondicionados em livros segundo o critério sectarista dos autores? Servirão, talvez, para escolas também sectaristas, isto é, aquelas que, escapando a todos os conhecimentos modernos da pedagogia e da psicologia, ainda estão torturando a alma indefesa das crianças – e, às vezes, também o corpo – dentro de princípios ainda quase medievais...

Para as escolas, porém, que os governos dignos de governar oferecem ao povo para lhe educar os filhos, sem lhes torcer a personalidade às ordens de qualquer despotismo, as lições de moral devem vir da conduta diária dos alunos, dos professores, dos administradores, de todo o conjunto social, que passa a ser mostrado às crianças, como futuro ambiente em que terá de agir.

São lições de moral "ao vivo". Com as suas consequências funestas ou gloriosas, como estejam dispostos a torná-las aqueles que são os próprios exemplos...

Na Nova Educação é assim. Resta aceitá-lo ou não. O programa do Distrito Federal é esse. Porque, se existe uma reforma, é para ser cumprida. É a conclusão mais inteligente...

E como há uma reforma, tudo tem de estar a seu serviço. Desde os que a fizeram, até os que escrevem livros para crianças... Pobres das crianças, se não for assim...

Rio de Janeiro, *Diário de Notícias*, 14 de setembro de 1930

Os patronos das escolas

Que é um patrono de escola? Procure-se nos nomes das nossas o motivo que os inspirou. Encontrar-se-ão os que batalharam, os que governaram, e alguns que deixaram na memória dos pósteros apenas uma recordação de trabalho, de esforço ou de sonho. Apenas? Apenas. E, no entanto, esses é que são, na verdade, os melhores patronos de escolas. Porque o heroísmo das batalhas não é uma fonte digna de alimentar o futuro; a reputação de administradores nem sempre é um exemplo que resista ao tempo. Mas a ação dos que ergueram na terra alguma garantia de permanência, sustentada apenas pelas suas próprias virtudes morais, essa revive, renova-se, é uma inspiração de todos os momentos e para todas as gerações.

E a infância precisa disso. Não, apenas, a infância: mas a vida humana. Seremos sempre, nós, os habitantes da terra, uma esperança de elevação e de perfeição. Nossa vida constrói-se baseada na daqueles que antes se souberam formar, tanto mais definitivamente quanto mais à custa de sacrifícios inuméricos.

E entre essas vidas inspiradoras, entre esses heroísmos que nunca mais morrerão na memória da humanidade, estão a vida e o heroísmo de Roald Amundsen, esse que soube morrer pela solidariedade com a vida humana.

Por que falamos hoje, aqui, em Amundsen? Porque, precisamente neste mês e no dia de anteontem, há dois anos, cessavam, oficialmente, as buscas feitas em redor da sua expedição.

Não o encontraram. Quer dizer que não existe mais? Não o acreditamos. Aquele velho explorador, de olhar habituado a sondar as brancuras polares, aquele homem para quem as regiões misteriosas das noites de seis meses eram já um país desencantado, soube, um dia, renunciar à sua pacífica tranquilidade – porque havia alguém perdido ao longe, alguém que era preciso procurar e encontrar...

Lá se foi. Sem vaidade. Porque a sua glória já estava consolidada. Sem o encanto das descobertas: porque ele sabia bem para onde se dirigia. Pelo simples e difícil gesto de confraternizar com um sofrimento.

Lá se foi. E onde está? Onde? Ninguém o pode dizer. Ninguém? Mas, então, para que existimos nós, os educadores, se não sabemos mostrar aos que estão e aos que veem o lugar em que ficam aqueles que se perdem a si mesmos para socorrer um seu irmão?

Amundsen está integrado na alma dos que acreditam que a vida é uma coisa magnífica sempre que pode ser oferecida, como um exemplo, ao futuro.

Amundsen está no respeito maravilhado dos que sentem a extensão e a beleza do seu sacrifício.

Amundsen está, justamente, no lugar que se pode apontar à infância como sua inspiração e sua razão de viver.

Por que não lhe escrevemos, então, o nome no pórtico de uma escola?

Rio de Janeiro, *Diário de Notícias*, 17 de setembro de 1930

Tiradentes

Quanto mais se contempla a vida, menos se acredita na história.

Cada fato diário, ocorrido diante dos nossos olhos, pode ser interpretado de tantas maneiras diversas, tão diferentes e até opostas, às vezes, à sua significação profunda; essa significação, por sua vez, na sua íntima estrutura subjetiva, é tão flexível, tão variável – nós somos frequentemente tão estranhos a nós mesmos! – que traduzir um acontecimento é quase sempre uma temeridade tão grande quanto a de o conservar através do tempo, dentro de uma determinada interpretação.

É por isso que assistimos de vez em quando ao aparecimento e ao desaparecimento de certos vultos, em cenários de séculos que se apagam ou iluminam, conforme opera a habilidade investigadora da crítica.

Todas essas modificações da história são proveitosas, sem dúvida, dentro dos vários setores do saber humano; mesmo porque é difícil afirmar que aconteça alguma coisa sobre a terra que não determine um benefício de qualquer espécie para a vida.

Vultos existem, porém, que, quaisquer que sejam os resultados a que se chegue sobre a sua verdadeira fisionomia – *verdadeira?* – e ainda que esses resultados atinjam a auréola que os envolvia, devem ser conservados com o prestígio que alguns séculos lhes outorgaram, fazendo deles um motivo permanente de inspiração, aos olhos das multidões que se renovam e passam.

Vivemos alimentados do passado, ainda quando não queiramos agir senão para e pelo futuro.

A cada instante olhamos para trás, quando queremos dar um passo maior para a frente.

Os grandes erros, as grandes catástrofes, os grande desesperos da humanidade que já não existe impulsionam-no para a edificação da outra que existirá.

Mas não sofremos apenas a influência dos contrastes. Não agimos apenas como quem se quer redimir de passados crimes. Contemplamos, também, nos tempos que já se foram, algumas vidas que, dentro desses tempos, souberam cultivar em si o mesmo desejo superior que nos anima. Elas preservaram, além da morte, o seu exemplo espiritual, numa recordação que ficou sendo um estímulo.

158 • Cecília Meireles

Certamente, há em torno delas uma atmosfera lendária que as faz mais sugestivas, – como esse aroma de antiguidade que paira no ambiente dos museus, e essa cor de distância que envolve as ruínas.

Talvez nem todos os vultos que hoje estão inspirando os habitantes da terra pudessem resistir à análise agudíssima dos psicólogos contemporâneos. Tirá-los, porém, do lugar que ocupam – pelo menos enquanto não temos outros mais indiscutivelmente autênticos, na sua realidade inspiradora –, pode ser de algum modo roubar, às gerações que surgem, o culto de uma evocação elevada e fecunda.

Como foi, ao certo, Tiradentes? E como deve ser mostrado?

Os educadores devem refletir sobre isso, antes de compor os seus discursos para o ano que vem.

Será oportuno, estará de acordo com a mocidade, com a adolescência, com a infância, essa espécie de exame a que se costuma, de algum tempo para cá, submeter os homens célebres, numa ânsia muito louvável, mas nem sempre adequada, de descobrir a verdade verdadeira?

Creio que não. Creio que isso é assunto empolgante para os eruditos, para as pessoas de uma certa idade – não apenas física, mas mental – que podem, aliás, perder muito bem um, vários, e talvez até todos os ídolos históricos, sem que se sintam desnutridas pelo seu estímulo.

Os jovens, porém, que ainda vivem mais da emoção que do raciocínio, mais do fato empolgante que do estudo experimental, precisam ver os homens célebres com todas as auréolas que a tradição lhes tenha dado. Se elas forem excessivas, eles se encarregarão de as pôr na medida justa, no devido momento.

Tiradentes deve continuar a ser o nosso grande herói da liberdade. Sua personalidade física, sua figura humana pode ir perdendo todos os atributos reais: o que é preciso fazer assomar sempre com maior intensidade é o seu destino inconfundível, morto e mutilado como um novo Osíris, pela fatalidade das quatro palavras de uma bandeira.

Porque a morte, em determinadas ocasiões, é um signo extraordinário.

Em Tiradentes ela ficou sendo um resplendor imperecível, marcando-o como a vítima principal, numa eclosão de idealismo.

Vede que foi a própria morte que se encarregou de o consagrar. E na mão da morte deve haver uma inteligência maior que no cérebro dos homens; porque os homens ainda não a puderam vencer.

Rio de Janeiro, *Diário de Notícias,* 22 de abril de 1931

Abolição!

Passou há dias o 13 de maio. E, tal qual no poema, "foi como até se não passasse...".

Extinto o feriado (e, entre o 13 de maio, o 15 de novembro e o 7 de setembro, hesito em distinguir qual o mais digno de ser altamente comemorado), tudo se reduziu a uma romaria ao túmulo dos abolicionistas, e a uma celebração na Sociedade dos Homens de Cor.

Eu não me considero completamente passadista. Mas acho que há fatos e nomes do passado que podem continuar a ser uma permanente luz, no tempo que avança, e tantas vezes se obscurece perniciosamente, por falta da sugestão feliz de um belo exemplo.

O 13 de maio, nas escolas, na sociedade dos pequeninos, era um motivo favorável à explicação do sentido da fraternidade, do respeito do homem pelo homem, indiferente ao preconceito da cor.

Será esse preconceito, ainda, que impele a mão das gerações de agora a apagar do seu calendário a data luminosa, com receio de revelarem com a sua simpatia algum compromisso de sangue?

Pode ser... A sensibilidade humana é tão misteriosa!... Mas quem teve pelo menos a sua boa pajem pretinha, que lhe enfeitou a infância com histórias de bichos, onomatopeias, jogos ingênuos e doces gostosos, sente-se como que roubado com esse esquecimento do dia bonito em que essa doce criatura vestia uma roupa nova, e cantava com reconhecimento:

> Pisei na pedra,
> A pedra balanceou...
> O mundo *tava* torto,
> Rainha *endereitou*...

Talvez tenha sido essa a mais comovente lição de solidariedade humana que recebi na minha vida.

Não acredito que a lição dos livros seja tão eficiente, para a infância, como essa comemoração que sempre se podia fazer, *vividamente*, assegurando-lhe mais a importância com o feriado das datas verdadeiramente grandes.

Estamos, porém, agora, como se nunca tivéssemos tido a Abolição...

E eu, pensando melhor, compreendo. Estamos, na verdade, como se ainda continuássemos escravos... Vejam bem, não como se os tivéssemos – *como se os fôssemos*. Extinguiu-se, em 88, o preconceito da cor. Criou-se, em 1931, o preconceito sectário.

Houve brancos e pretos, nesta terra. Agora, haverá cristãos, judeus, budistas, positivistas, ateus... Mais do que isso: entre os próprios cristãos, haverá protestantes, católicos, espíritas, ortodoxos etc.

Antigamente, tivemos o desprezo e a opressão, motivados pelo tom da pele. Agora, vamos ter opressão e desprezo oriundos das divergências de pensamento.

A Abolição, que foi uma vitória do espírito, em 88, recebe agora, como contraste, o decreto do ensino religioso nas escolas, que, evidentemente, é uma derrota desse mesmo espírito.

A vida é feita assim de derrotas e vitórias. Havemos de ter outra vez a Abolição. Uma Abolição maior que a outra. A que nos livrará, num dia que ainda se ignora, deste cativeiro em que os homens desatentos ao futuro, por um abuso do direito de governar, pretendem atirar todas as gerações indefesas do tão proclamado Brasil Novo, pondo à porta de cada escola o cérebro de inúmeras cabeças, que é este decreto execrado.

Pensar que o primeiro pensamento dos velhos abolicionistas se tinha voltado justamente para a infância!

Ó Deus de todas as religiões, como se pode retrogradar muitos séculos, em cinquenta anos!

Rio de Janeiro, *Diário de Notícias*, 15 de maio de 1931

13 de maio

O calendário informa que, na data de hoje, há muitos anos, foi abolido, no Brasil, o cativeiro. Mas, se a gente se puser a refletir, conclui que o calendário não está muito certo. Ele diz isso por hábito. Constou, certa vez, que uma princesa teve oportunidade de fazer com que os negros se julgassem livres no Brasil. E o dia 13 de maio fixou-se na convicção dos brasileiros como uma data de liberdade.

Precária liberdade. Nem os próprios homens de cor estão ainda completamente integrados na fraternidade de seus irmãos: e não é, sequer, por serem negros – o preconceito das raças não desapareceu totalmente do espírito de todos: basta contemplar o Ocidente em face do Oriente. Basta ver a impertinência com que, diante de um pensamento que se eleva, certos homens meticulosos se detêm a perguntar: "De que cor é a pele de quem pensou estas coisas?"

Mas esse é um cativeiro leve e suportável, quando se pensa nos outros que se sustentam dentro de um mesmo povo; nos cativeiros que originam todas as lutas, todos os ódios, pelas injustiças que acumulam, pelas rotinas que defendem, pelo atraso que acarretam à vida, pelo sofrimento que impõem às criaturas.

Eu queria que me dissessem em que país do mundo é que está a liberdade. E o Brasil, infelizmente, ainda não é uma exceção. E parece que em todo hino que a gente sabe de cor desde criança está essa palavra bonita, que instintivamente se ama e em que se acredita, sem saber que é apenas uma invenção de algumas criaturas sonhadoras, que morreram por ela (muito contentes quase sempre), antes de a poderem conhecer com realidade objetiva.

Mas o sonho transmite-se. O sonho é uma realidade a seu modo: sem substância, mas indestrutível.

O 13 de maio é uma data de sonho. Temos sobre nós todos os cativeiros. E até os sentimos muito mais numerosos e pesados que os de antes da Lei Áurea, porque estes cabem a todos, em todas as idades, e os homens de hoje não têm a candura de seus avós, e sabem que há martírios mais terríveis que os do tronco, – mas, que por se passarem no espírito, não são vistos nem acreditados, e não contam, por isso, com socorro de espécie alguma...

Olha-se para o calendário e fica-se então sonhando. Fica-se vendo como a visão humana se alarga do passado para o futuro. Como vai sempre mais além, nos idealistas, o caminho das suas grandes aspirações. E, ao mesmo tempo, sente-se como a força da inércia detém a passagem por esse caminho; como o peso das vidas sem entusiasmo torna demoradas todas as belas coisas que vêm fazer melhor a vida, e que são arrancadas a custo de dentro do impossível em que as maiorias ociosas, negligentes ou interesseiras insistem em as querer conservar.

Mas o que é do sonho é da esperança. Assim o dia 13 de maio. Por enquanto, só verificamos a abolição de uma escravatura cujo desaparecimento é, ainda, meio duvidoso. E cuja gravidade, por isso mesmo, não diminuiu. Mas, se os ideais da Nova Educação levarem sempre mais longe a sua harmoniosa concepção da vida, se desde a infância estivermos efetivamente dando aos homens a força com que se constrói a verdadeira liberdade, não estaremos agindo com mais acerto, e preparando resultados mais seguros?

Conquistar a liberdade é difícil e incerto. *Criar* a liberdade parece mais justo. E é a grande tentativa da Nova Educação, de que só pode sorrir aquela mediocridade inconsciente que, em todos os tempos, impede precisamente que o sonho exista. Porque a desgraça dos medíocres é que eles não podem sonhar.

Rio de Janeiro, *Diário de Notícias*, 13 de maio de 1932

A extensão das pátrias

A propósito da trasladação dos restos de Santos Dumont, devo a Alfonso Reyes uma recordação interessante: as últimas palavras do discurso com que o Pai da Aviação respondeu às saudações da festa improvisada no Pavilhão de Armenonville, por ocasião do seu primeiro voo. Essas palavras foram:

"Car j'ai deux amours: mon Pays et Paris."

Palavras que deviam ficar, depois, numa canção de Josephine Baker.

Como quem diz Paris diz, de algum modo, o mundo – a frase, em síntese, é o retrato do espírito nacional e universal que não podia deixar de possuir quem tão ardentemente se projetou para fora da terra pela inquietude de conhecer um além que satisfizesse o sonho de crescimento contínuo que existe no coração de algumas criaturas.

Há uma aprendizagem da vida, semelhante à da infância: uma surpresa em receber os acontecimentos, em contemplá-los, e o ensaio de os dominar, submetendo-os ao poder humano. Até aí parece que o indivíduo traça em redor de si um horizonte limitado, como campo de experiências, tímidas, incertas, e muitas vezes sem resultado notável. Quando, porém, o resultado determina para o experimentador o descobrimento da fórmula verdadeiramente mágica segundo a qual lhe pode ser revelada toda a secreta identidade das coisas, os horizontes primitivos deslizam para distâncias extremas, e, diante de todas as generalizações, o homem compreende que é dono do mundo, e que pode encontrar sua pátria em qualquer ponto da superfície da terra.

É certo que entre *estrangeiro* e *inimigo* já se diluiu quase toda a sinonímia. Mas é também certo que, entre o homem e a terra, existem certas condições, de acordo mútuo, sem o qual a vida se faz impossível. A terra espera do forasteiro, como este, igualmente, dela espera, uma compreensão e uma dádiva, que sejam as expressões da sua comunicabilidade.

O rosto da Esfinge jaz sob os pés que percorrem cada pátria. E é o mesmo rosto que leva, em sua alma, cada viajante que chega e que se vai. Uma e outro suplicam interminavelmente: "Adivinha-me! Entende-me!" E essa é a tarefa dos que desejam sobreviver.

A terra já está exausta dos tempos de conquista. O peso de todos os jugos é a sua última lembrança de desespero.

O homem precisa deixar-se ficar exausto de conquista. Sua recompensa estará em encontrar no amor sem dominação uma alegria mais serena e uma felicidade maior.

No dia em que se ama intensamente a terra da pátria, já se está começando a amar para além das fronteiras a terra dos outros homens em que ela e nós nos prolongamos.

"Car j'ai deux amours: mon Pays et Paris."

Assim se completa o destino humano.

Para essa completação é necessária uma obra educativa luminosa e vasta, que, desde cedo, revele às crianças o encanto de um mundo harmonioso, em que os estrangeiros saem de semelhante condição pelo amor que oferecem à terra que os acolhe, e assim encontram, por onde passam, uma pátria que se continua sempre, e que não tem fim.

Um espírito de paz, seguro e eficiente, surgirá de uma obra que se saiba realizar dessa maneira.

"Car j'ai deux amours: mon Pays et Paris."

Não é só um gosto excepcional isto de poder amar para além do que nos pertence. É também uma virtude.

Quero lembrar ao leitor que este "Comentário", por exemplo, não seria feito, se nele não houvesse colaborado o pensamento de um mexicano.

Rio de Janeiro, *Diário de Notícias*, 14 de dezembro de 1932

14 de julho

14 de julho. Uma data verdadeiramente universal. Ainda que os governos não decretassem o feriado. Por ser uma data profundamente humana. Com as humanas inquietudes, com os humanos desesperos, com toda a força dos sonhos com que os homens caminham para além de si, e todas as consequências trágicas resultantes de tão audaciosa aventura.

Somos, afinal, um permanente 14 de julho. Uma permanente aspiração para a liberdade, seja qual for o rumo por que orientarmos essa palavra. Dentro de nós existem sombrias bastilhas: a que os outros edificaram no nosso espírito, e aquelas que nós mesmos, sem o sabermos, andamos edificando.

Mas todos os dias há grandes clamores neste mundo que somos: ardentes correrias se precipitam pelos seus espaços; violentos golpes investem contra as suas muralhas; alguma coisa resiste, e alguma coisa sucumbe, – trazemos sempre um farrapo de bandeira na mão, e uma cabeça de aristocrata na ponta da baioneta...

Ai de nós! Andamos, é certo, destruindo o peso do passado inoportuno que nos quer esmagar. Quereríamos ser leves, ágeis, poderosos de verdade e simplicidade, – livres como a vida que vemos fruir para além de quaisquer intuitos e que ainda é o nosso estímulo mais perfeito, no seu silêncio, e mais justo, na sua aparente contradição. Quereríamos ser iguais à própria vida. E verificamos estar desvirtuados: estar, de certo modo, negando a cada instante o que deveríamos ser.

Como se passaram as coisas? Quem inventou tantas confusões arbitrárias para nos envolverem o pensamento e tolherem as resoluções? De onde vieram tantos embaraços para as mais naturais tentativas, tantas dúvidas para as mais retilíneas aspirações?

Não vimos as prisões levantarem-se. Mas sentimos que estão presentes. E a nossa infeliz condição repete-se de tal modo pela humanidade afora que já se apresenta quase como a fisionomia do destino.

Sabemos que é uma falsa fisionomia só porque a vida nos avisa, falando-nos com a sua voz mais íntima, sem fraude, sem temor, sem perturbação. E sonhamos com a liberdade.

Sonho de tanta certeza, que nos armamos para o realizar.

Vamos para a frente com um ritmo confiante. Olhos repletos de vitória. Mãos crispadas de entusiasmo. É o nosso 14 de julho de cada momento. Agora, sim, esmagaremos os nossos tiranos, chegaremos a este poder de ação que uma herança de séculos inibiu ou prejudicou...

14 de julho: todo o nosso esforço. Nosso sangue. Nosso espírito... Talvez uma bastilha em fogo... E a liberdade?

"Liberté, liberté, chérie..."

Onde estão os que morreram por ela, naquele 14 de julho que todos viram? Eles sorririam agora de todas as nossas mortes infrutíferas... Sorririam, mas tornariam a morrer mil vezes, pelo mesmo sonho. Porque é o sonho único. E a mais bela qualidade humana é, talvez, este dom obstinado que nos leva a refazer a confiança depois da desilusão, crendo que somos sempre mais capazes, e que a vida é um triunfo sobre o impossível.

Rio de Janeiro, *Diário de Notícias*, 14 de julho de 1932

Brasil...

Naquele chá que outro dia se serviu, no Instituto de Educação, aos professores americanos que o visitaram, o acaso me ofereceu uma situação privilegiada. Depois de ter passado umas duas horas com uma colega da Pensilvânia que tinha um gosto particular por algarismos, – número de alunos, duração do curso, número de horas, – mas que também sabia ter um ar poético mirando a paisagem brasileira, e relembrando com vagas palavras de saudade as suas montanhas natais, aconteceu-me ter um lugar à mesa entre um americano e um egípcio, e ficar defronte de duas uruguaias, um paraguaio e uma senhora americana.

O americano era da Universidade de Colúmbia; o egípcio representava uma perfeita mistura de Amenophis com o professor Aníbal de Sousa; o paraguaio tinha uma admirável cabeça de primitivo; as senhoras uruguaias, como todas as senhoras uruguaias, eram extremamente simpáticas; e a senhora americana possuía esse encanto excepcional que sabem ter os da sua raça quando resolvem permitir que os cabelos brancos venham pratear a sua risonha e bondosa mocidade.

O ambiente era o mais agradável possível.

Falava-se largamente inglês e espanhol, – e o meu vizinho egípcio ensaiava uma lição rápida de árabe, mais ou menos pelo método Berlitz, quando nos ia informando sobre os nomes das várias coisas, na sua língua:

– *Tchay, lêban, su'car...*

A minha situação já seria privilegiada por esse convívio internacional: sofro deste excesso dos que nascem com disposições para amar todas as pátrias, para compreender todas as criaturas, para desejar a todos essa mesma compreensão e esse mesmo amor. Onde, porém, ela se tornou verdadeiramente preciosa foi no ponto em que os presentes entraram em considerações sobre algumas vantagens percebidas na sua visita ao Instituto.

Assim, o meu vizinho egípcio louvava a coeducação, pensando no Oriente conservador, de mulheres ainda veladas... E o vizinho americano, comunicando-se para além dos doces e das flores com a sua colega fronteira referia-se à nossa ausência de preconceitos de cor, lembrando o encontro que acabava de ter com crianças claras e escuras, antes de chegar àquela sala de chá...

Cheguei a pensar que talvez tivesse valido a pena termos as dores do cativeiro, para podermos ouvir esta frase que me comove e me orgulha: "País sem preconceito de cor..."

Valeu a pena, talvez, termos bebido o leite amargurado dessas vidas dolorosas para fixarmos no sangue esta ternura e esta benquerença, este poder de olhar com o amor para as faces obscuras dessa gente exilada, elevando-a, fraternalmente, ao convívio do nosso coração, e só por isso fazendo-a melhor e ficando melhor também.

Infelizmente, porém, nunca se está, apenas, onde se está...

Naquela mesa, ouvindo aquelas palavras, podia-se sentir essa rara felicidade de pertencer a um mundo harmonioso, movido por um ritmo exato e puro, para a glória dos ideais serenos.

Mas o pensamento foge pelos caminhos dos contrastes, está sempre em constante vigilância, observando as surpresas de cada hora, agitando as suas vitórias e decepções.

E era profundamente triste, ouvindo esse elogio de um Brasil em que a obra educacional vai aproximando todas as vidas, desde a infância, na construção de um sonho que o mundo inteiro reclama, – recordar esse mesmo Brasil que se debate numa luta incrível, de que todos estamos sofrendo, porque nessas trincheiras e nesses campos, de um lado e de outro, oferecido a qualquer morte, todos nós colocamos o nosso destino, o nosso futuro, e o mistério da nossa definição.

Rio de Janeiro, *Diário de Notícias*, 27 de julho de 1932

décimo quarto núcleo temático

PAZ, DESARMAMENTO E NÃO VIOLÊNCIA

Cooperação

O subdiretor técnico de Instrução, no seu discurso, ao tomar posse do cargo, resumiu seu programa de trabalho na palavra *cooperação*.

Essa palavra devia estar como um lema em cada escola, animando as diretoras na sua ação junto às auxiliares; em cada sala, animando o trabalho de professores e alunos; e em cada lar, dando uma nova cor de compreensão ao pensamento das famílias, de modo que todos que têm a responsabilidade da vida estivessem assim unidos por uma palavra que fosse um compromisso comum e, ao mesmo tempo, uma comum esperança.

Todo o esforço de alguns que, neste momento, se empenham na obra educacional depende da cooperação dos demais, sem a qual terá de resultar sensivelmente prejudicado, retardado nos seus efeitos, diminuído na sua interpretação e na sua eficiência.

Há muitas maneiras de cooperar, e todas devem ser tentadas com igual interesse, porque, se cada um emprestar os recursos de que dispõe num movimento de simpatia em favor da obra educacional, ter-se-á criado o ambiente necessário à sua expansão, e tudo mais serão efeitos do seu desenvolvimento natural.

Ninguém melhor do que o próprio professorado poderá centralizar todos os esforços cooperativistas para essa obra que é da sua direta responsabilidade.

Agindo junto aos alunos, junto aos pais, promovendo a aproximação da casa e da escola, conseguirá um aumento notável de possibilidades na harmonização desses dois ambientes.

Agindo junto aos colegas, promovendo essa cordialidade sincera, sem a qual não se pode contar com trabalho fecundo, conseguirá uma órbita mais vastamente propícia a inovações, experiências e propaganda dos próprios ideais sempre renovados que orientam o trabalho educacional.

E, assim preparado o campo de ação, poder-se-á verificar com acerto o valor das medidas tomadas pela Diretoria de Instrução, que representa, neste instante, as mais elevadas esperanças do magistério e do povo.

Quando a administração, por um equívoco na interpretação dos seus deveres, ou qualquer desgraça de incapacidade, constitui um obstáculo à obra que devia ser por ela defendida, o desânimo começa a grassar entre os elementos em ação, e entra-se num período de inútil esforço, desorientado e ineficaz.

Mas, agora, é da própria Diretoria de Instrução que parte a palavra de entusiasmo e de fé, pronunciada sob um juramento de sinceridade pelos dois diretores que acabam de assumir a responsabilidade de seus respectivos cargos.

O professorado, que já tantas vezes se desiludiu, mas que não deve ter perdido ainda o sentido da obra em que empenhou a sua própria vida, deve empregar agora toda a energia do seu entusiasmo numa ação intensa e confiante, que possa realmente definir a orientação de seus interesses e a significação dos resultados obtidos.

Qualquer atitude esquiva ou retraída, qualquer ceticismo, qualquer insinceridade constituiriam, neste momento, grave perigo para a obra e para os que, empenhados nela, se resolvessem a tão estranha interpretação.

Rio de Janeiro, *Diário de Notícias*, 7 de novembro de 1931

Uma página de Remarque

Permite-me, leitor, que te recorde Erich Maria Remarque, em *Depois*:

Volto à minha classe. Os pequenitos estão sentados em seus bancos, com as mãozinhas cruzadas. Em seus olhares se reflete ainda todo o assombro tímido da infância. E olham-me com tal confiança que quase me fazem mal.

Aqui estou diante de vós; aqui está um desses cem mil fracassados a quem a guerra despojou de toda a sua fé e de quase toda a sua energia... Olho-vos e sinto como há muito mais vida e segurança em vós do que em mim... E mandam-me, para vosso professor e vosso guia! Que vos hei de ensinar? Que dentro de vinte anos estareis ressequidos e contrafeitos, cegos os vossos instintos mais vitais, convertidos em pobres mercadorias catalogadas? Que toda a cultura, toda a civilização e toda a ciência serão uma farsa cruel, enquanto houver no mundo homens que guerreiem com gases, com aço, com fogo e com metralha em nome de Deus e da humanidade? Que vos hei de ensinar, a vós, criaturinhas, a vós que sois os únicos que saís puros destes anos espantosos?

Que vos poderia eu ensinar? Vou ensinar-vos como se manejam as granadas de mão e se lançam contra um semelhante? Qual é a melhor tática para cravar a faca no peito de outro, matá-lo de uma coronhada ou deixá-lo morto com um golpe de pá? Vou adestrar-vos na melhor maneira de atingir com um fuzil uma dessas maravilhas misteriosas: o peito que respira, a mão que palpita, o coração que bate? Hei de explicar-vos o que é o tétano, o que é uma coluna vertebral partida, um crânio esmigalhado? Hei de descrever-vos o quadro dos cérebros salpicados, dos ossos esmigalhados, dos intestinos saindo da barriga? Ou contar-vos como se clama quando se tem um tiro no ventre, como se estertora quando se recebeu uma bala no pulmão, como se silva entre os dentes, com um estilhaço de metralha na cabeça? É tudo o que sei! Foi tudo quanto me ensinaram!

Vou levar-vos diante daquele mapa verde e acinzentado, percorrer certas regiões com o dedo e dizer-vos: Aqui foi onde assassinaram o amor? Vou explicar-vos que esses livros que tendes nas mãos não são mais que ciladas vis com as quais se quer atrair vossas almas puras para o matagal das frases e os arames farpados dos tópicos falsificados?

Aqui estou diante de vós como enodoado, como culpado, e devera ajoelhar-me e suplicar-vos: Sede sempre como agora; não deixeis que prostituam essa luz cálida da infância, soprando-a até convertê-la em labaredas de ódio! Em vossos rostos sopra ainda o hálito da inocência... Como hei de ser eu, eu, vosso professor? Atrás de mim se erguem ainda as sombras do passado... Como hei de mesclar-me a vós, eu que tenho de recobrar ainda a minha perdida humanidade?

Essa tragédia do professor sem prestígio diante de seus alunos, essa tragédia *consciente*, clara, nítida, dos que não têm autoridade para falar a seus discípulos, porque atrás dele há sombras monstruosas, e nas suas mãos vestígio de crime, não é apenas a do soldado repleto de angústia, que, de volta do inferno da guerra, se vê transformado em mestre-escola. Ela é de todos os dias, em qualquer parte. Todos os dias, e em qualquer parte, surgem, assim, diante de classes que as têm de ouvir, pessoas com as mãos manchadas por atos ainda mais terríveis que o de matar um semelhante; os crimes contra a liberdade de espírito não serão, por acaso, ainda mais atrozes que os que atentam apenas contra o corpo? E esses se praticam a cada instante, com uma serenidade, uma indiferença de estarrecer. E todos os dias não estamos ao lado de criaturas que falam a crianças, que falam a adolescentes, que falam a outras criaturas com voz solene e sobranceira, quando nem sequer ousariam levantar os olhos se tivessem de ver seu espírito num espelho?

Oh! precisamos renovar o conceito de professor. Precisamos dar a essa palavra o sabor profundo que a banalidade de uma carreira burocrática lhe tirou. Precisamos de professores-criadores, de professores-artistas, de professores que sejam grandes inspiradores pelo que eles mesmos são, mais do que pelo que pudessem dizer, apenas, para edificação de seus alunos.

Esta página de Remarque, o homem que viveu experiências tão grandiosas, antes, durante e após a guerra, tem um sentido grave e doloroso, como tudo que fala na verdade.

E agora, nestes sinistros tempos em que há novos prenúncios de carnificina nos horizontes do mundo, a visão monstruosa da guerra posta em contraste com a confiante inocência da infância é, de certo, um pequeno motivo para infinitas reflexões.

Rio de Janeiro, *Diário de Notícias*, 12 de junho de 1931

Natal

Nestes três dias a população carioca – assim como a de uma boa parte do mundo – vai agitar-se pelas lojas de brinquedos à procura de mimos para os sapatinhos das crianças.

Não quero entrar em considerações sobre as conveniências e inconveniências com que se costuma cercar o Natal das crianças. Mas gostaria de intervir seriamente na escolha dos brinquedos, chamando a atenção dos adultos para o abuso que se costuma fazer de apetrechos militares como presente de boas-festas e estímulo das mais graves tendências infantis.

Os homens andam pedindo paz há muito tempo. Mas a paz não é uma conquista fácil. Ela precisa vir de longe, integrada na formação do indivíduo, fazendo parte da sua vida, animando-lhe todos os sentimentos, pelo longo hábito da sua assimilação.

Os homens andam pedindo paz. Mas todos os instantes da vida estão cheios de guerra, de uma guerra latente de que os olhos só veem as explosões esporádicas, desconhecendo-lhe a silenciosa evolução, carregada já do seu fatal desfecho.

As crianças deviam ser poupadas a essas sugestões sanguinárias. Mas os adultos esquecem-se frequentemente da influência que exercem em redor de si, e, despreocupados e inconsiderados, vão transmitindo sem querer, ao mundo das crianças, as mais lamentáveis coisas que o mundo da gente grande inventou e de que já não se pode desvencilhar.

O sonho, ou utopia, da paz anda intimamente ligado ao sonho, ou utopia, do desarmamento e do militarismo.

Há, porém, uma infinidade de criaturas que, achando detestável a guerra, acham, não obstante, uma das coisas mais maravilhosas do mundo a vistosa indumentária militar. O prestígio dos galões e dos alamares ainda não é um prestígio morto. A admiração pelo garbo militar, pela marcha, pelo rufar dos tambores e o retinir dos clarins ainda se acha incorporada profundamente a certas almas românticas, que sonham conquistas e derrotas de velhos tempos, alheias à transformação do mundo e dissociadas dos interesses atuais da vida nova.

Quando o batalhão passa pelas ruas, ainda muitas mãezinhas se deslumbram com a passeata, e suspendem os filhinhos às janelas para assistirem ao espetáculo. Esse mesmo espetáculo poderá depois arrancar-lhe lágrimas, quando não seja mais um ensaio, apenas, mas uma realidade autêntica de viagem para a morte que mata e a morte que faz morrer, no dia em que o brinquedo deixa de ser brinquedo e se transforma em obrigação cruel.

As crianças cantam:

> Marcha, soldado,
> Cabeça de papel.

E os adultos sorriem.

Um dia não sorrirão, quando partirem sem cantar, ou cantando sem lágrimas, *para não enferrujar as armas*, como diz uma canção triste...

Na noite de Natal, as mãezinhas põem nos sapatinhos dos filhos espingardas e baionetas, quepes e tambores, cornetas e soldadinhos de chumbo...

Fazem-no inocentemente, pensando que dão felicidade às crianças. Ensinar a brincar com armas é a mais dolorosa ocupação a que se podem entregar as mães. Então, entre luzes e festas, animando, sem querer, as guerras que surgirão, mais tarde, e em que os filhos do mundo inteiro recordarão com uma nostálgica amargura os ensaios guiados pelas maternas mãos.

Oh! se todos os brinquedos que sugerem a morte ficassem proibidos de figurar nos sapatinhos das crianças! Se fosse possível impedir essa crueldade inconsciente que, desejando dar felicidade, começa justamente por sugerir lutas e desesperos!

Se fosse possível não ensinar a matar, – uma vez que para morrer todos nascemos já ensinados...

Se fosse possível a paz... Se fosse possível só o amor... Ou será mesmo que o amor e a morte não se separam mais?

Rio de Janeiro, *Diário de Notícias*, 23 de dezembro de 1931

Gandhi

O mais alto ideal de educação humana contém-se, neste momento, nas mãos de Gandhi, nessas magras e ressequidas mãos que poderiam sustentar o mundo inteiro, se o próprio mundo estivesse preparado para se sentir em equilíbrio num tão culminante ponto, de atmosfera tão rarefeita.

Desde o início da campanha da desobediência civil, todos estamos vendo como esse herói sem armas levantou as virtudes seculares de um povo desprovido de tudo, recordando-lhe apenas como se pode ser tudo, sem nada se ter.

O valor de um homem só, pequeno e frágil, acendeu essa coragem de resistir, sem fazer mal, que está sendo a grande epopeia da Índia moderna.

E os próprios excessos de grandeza que quase puderam ser censurados, nesse heroísmo intransigente, não eram mais violência, – mas a insuportável força do espírito pesando e perturbando a pretensão de todas as forças que, para se manterem, foram mumificadas em leis.

O prestígio de Gandhi é o prestígio do homem que resiste à lei, porque a lei se tornou inferior ao homem, ou o homem se tornou superior a ela.

Em muitos pontos da terra têm acordado homens assim. Nenhum teve esse tranquilo poder de arrastar atrás de si multidões deslumbradas, dispostas a morrer sem matar pelo sonho de experimentar a verdade do espírito sem mais recurso nenhum, além desse espírito com a sua verdade.

As prisões e as libertações de Gandhi, suas vitórias e suas derrotas, seus apogeus e declínios passam a ser pequenas horas perdidas sobre o tempo imóvel da obra que se realiza na Índia.

Esta aventura da Conferência da Mesa-redonda teve o desfecho esperado pelos que conhecem a ignorância e a vaidade do tão falsamente civilizado Ocidente.

Era de esperar que esta Inglaterra a que, no entanto, a Índia tem servido de modo tão inesquecível, e a que Gandhi ofereceu, como todos sabem, o mais puro fervor de ação em graves momentos do passado, não desse ao libertador oriental uma certeza tão grande quanto a sua aspiração.

E era de esperar que o papa não o quisesse ver, envolto no seu honesto *khaddar*, apenas mais vestido que o Cristo quando desceu da cruz, e que, com certeza, já hoje, para Roma, seria pecado ver...

O Ocidente ainda está de tal modo vivendo a superstição da casaca, e as ideias dos homens se fazem entender tão melhor pela indumentária que pelas palavras, que Gandhi não podia deixar de ser visto ainda como uma espécie de selvagem, com as suas passas, os seus dentes postiços, a sua conserva de leite de cabra e a sua paixão de liberdade, que é uma espécie de anomalia...

Fica-se triste diante do formidável espetáculo: o homem que, precisamente, está vivendo uma vida que é exemplo, o homem que concentra em si o renascimento de um povo, com a exaltação de todas as suas qualidades raciais; que tem o poder de sustentar sozinho essa expressão adquirida pela conjugação de um pensamento, de um sentimento e de uma vontade que mutuamente se estimulem e dominem, – esse homem assombroso que não se pode contemplar de perto sem um certo terror, como o que nos causam as divindades hindus, de tão completas na representação das suas múltiplas forças – entra mais uma vez para o cárcere, sem que o mundo inteiro proteste contra a vergonha do atentado que vitima aquele que, entre os homens de todas as raças, de todos os credos, de todas as cores e línguas, devia ser considerado o mais puro tipo humano em ideal e em sacrifício.

Talvez seja por não poder ser visto de tão perto, sem esse terror que emana da sua própria grandeza...

Mas entre a Índia do passado e a do futuro, – e entre tantas figuras imensas que nesse espaço se acumularão – Gandhi vai ficar sendo o messias do seu povo. É dele que a Índia renasce; – embalada nos cânticos dos seus poetas, elevada nas cismas dos seus filósofos, mas certa de si mesma só pela ação invencível daquele que, sem cismas e cânticos, amassou com suas humildes mãos o vaso do futuro de que se fez o oleiro inquieto.

Se o mundo que vier depois não entender a sua obra, nem por isso ela deixará de existir, como existiram as mãos que a prepararam. E apenas ficará perdida, nelas, – como ele mesmo se quis perder nas mãos do Divino Oleiro se, com a sua condição humana, embora submetida à disciplina dura do sofrimento, pudesse comprometer a perfeição que sonhou...

Rio de Janeiro, *Diário de Notícias*, 6 de janeiro de 1932

O brinquedo da guerra

Berlim, dezembro (U. P.) – Miniaturas de tanques, submarinos, porta-aviões e aparelhos aéreos de toda a sorte predominaram nas montras das lojas de brinquedos durante a estação de Natal deste ano. Havia também, naturalmente, os tradicionais brinquedos alemães; bonecas de todos os tamanhos e gêneros, assim como uma grande variedade de soldadinhos de folha de flandres. Todavia, tiveram maior procura as imitações dos mais modernos aparelhos técnicos de guerra.

A maioria desses brinquedos era, no entanto, de simples folha de flandres, tendo só exteriormente semelhança com os seus modelos reais. Os fabricantes de artigos para criança sentiram que, se desejavam vender, tinham de produzir artigos baratos. Assim é que fabricaram tanques de 96 fênigues cada um, trens que custavam só um marco, ao passo que um porta-aviões, transportando dois pequeninos aeroplanos, era vendido a 2,5 marcos. Havia ainda tanques com a genuína tração de lagarta e munidos de canhões ameaçadores apontando de suas torres; eram equipados com um mecanismo que lhes permitia subir rampas de 45 graus e transpor miniaturas de fossos e outros obstáculos da mesma maneira por que o fazem os seus irmãos de verdade. Um tanque desse modelo, de cerca de dez polegadas de comprimento, custava dez marcos. Um tipo menor e menos caprichado no armamento vendia-se a seis marcos. Mas embora ficassem eles cercados pela petizada nas exposições de brinquedos, pouco se vendiam, pois raros eram os pais que podiam gastar tanto dinheiro na aquisição de um presente de Natal.

Tiveram bastante procura os soldadinhos de lata. Mas aqui também a clientela pedia a mercadoria barata. Os tipos custosos, com todos os detalhes dos seus complicados uniformes e insígnias, minuciosamente copiados da realidade, não encontraram compradores.

Para quem escreveu um "Comentário" prudente nas vésperas do Natal, suplicando, quase, aos adultos que se abstivessem de comprar para as crianças brinquedos que lhes pudessem sugerir uma desejosa curiosidade de guerra, não deixa de ser entristecedor o encontro com um telegrama assim.

Noutro dia qualquer, poder-se-ia atribuir ao arbítrio da criança a escolha de brinquedos desses. Mas não por ocasião das festas de Natal – festas cristãs... – quando o brinquedo é a surpresa trazida pelos parentes, em nome de S. Nicolau, do Papai Noel ou do Menino Jesus...

Um desses três personagens fica sendo, pois, o responsável pelas consequências da mentalidade que for sendo originada das imprudências que andam cometendo.

E, como o telegrama vem de Berlim, e a palavra da história tem um prestígio profundo, porque vem de infinitos destinos acumulados e sacrificados nas trágicas mãos do tempo, não será inoportuno recordar Wells quando discorre sobre "A catástrofe internacional de 1914":

> A nova Alemanha, incorporada ao Império que criara o Tratado de Versalhes, era uma estranha e complexa liga das forças mais modernas, quer intelectuais quer materiais, e das mais estreitas tradições políticas do sistema europeu. Ela dedicava toda sua energia à instrução de seus filhos; era a potência de mais desenvolvido sistema de educação; nesse particular, mostrava o caminho a seus vizinhos e rivais. A Alemanha empreendeu organizar a pesquisa científica e aplicar os métodos científicos em matéria de indústria e higiene social com uma fé e energia sem precedentes. Durante todo esse período de paz armada, ela semeou, colheu e tornou a semear as colheitas certas do saber. Tornou-se rapidamente uma grande potência industrial e comercial; sua produção de aço ultrapassou a da Inglaterra; nesses domínios novos em que a inteligência e o espírito de sistema são de mais eficiência que todas as astúcias comerciais, na fabricação de vidros de óptica, de produtos químicos e de tinturaria, seu avanço sobre o resto do mundo foi considerável.
> [...]
> A Alemanha mostrou também o caminho às outras nações, em matéria de legislação social. Compreendeu que o trabalhador é uma riqueza nacional... – etc.

Mas, depois do justo elogio ao nível da grandeza alemã, entre as vitórias orgulhosas de uma guerra passada, e a derrocada, invisível ainda, da guerra próxima, Wells observa:

> A psicologia das nações é ainda uma ciência rudimentar. Mas é de importância essencial para o nosso trabalho que os que estudam história universal pensem no que pôde ser a educação mental das gerações de alemães educados desde as vitórias de 1871. Estavam naturalmente

envaidecidos pelos esmagadores sucessos da guerra, ébrios por terem passado tão rapidamente duma relativa pobreza à fortuna. Não teriam sido homens se não se tivessem deixado invadir por um excesso de vaidade patriótica.

Mas apoderaram-se dessa reação, cultivaram-na e desenvolveram-na por uma exploração e um controle sistemáticos da escola, da literatura e da imprensa, no interesse da dinastia Hohenzollern. Um mestre, um professor que não ensinasse e pregasse, a propósito de tudo e de nada, a superioridade racial, moral, intelectual e física dos alemães sobre os outros povos, que não exaltasse seu culto extraordinário da guerra e da dinastia, que não afirmasse estarem destinados a governar o mundo sob a dita dinastia, era um homem acabado, que não tinha senão que desaparecer ou viver na obscuridade.

[...]

O jovem alemão lia essas coisas nos seus livros de escola, ouvia-as pregar na igreja, encontrava-as expostas na sua literatura.

[...]

Só os espíritos de vigor e originalidade excepcionais poderiam resistir a uma tal torrente de sugestões. Insensivelmente, a mentalidade alemã passou a considerar a Alemanha e seu imperador como seres sobrenaturais; a Alemanha era uma nação divina, de "cintilante armadura", que brandia "a boa espada alemã" num mundo de povos de civilização inferior e de intenções suspeitíssimas. A Alemanha foi voluntariamente embriagada, foi voluntariamente mantida neste estado de embriaguez graças a essa retórica patriótica.

O maior crime dos Hohenzollern foi a intervenção constante e persistente da coroa na educação do país, e particularmente no ensino da história. Nenhum Estado moderno pecou tanto contra a educação. A oligarquia e a monarquia coroada da Grã-Bretanha puderam mutilar e fazer sofrer a educação, mas a monarquia Hohenzollern corrompeu-a e prostituiu-a.

[...]

Essa mesma visão de Wells, encontramo-la em Remarque, nas queixas do *Nada de novo na frente ocidental*, e no *Depois*.

Sentimos o mal da guerra vindo de longe, – da educação da criança e do adolescente.

Mas é Wells que tem de fechar este "Comentário":

Quando em 1913 o governo britânico propôs uma suspensão bilateral das construções navais, a Alemanha recusou. O Kaiser tinha um herdeiro ainda mais Hohenzollern, mais imperialista, mais pangermanista que ele próprio. Fora nutrido de propaganda imperialista. Seus brinquedos tinham sido soldados e canhões.

Será que os pais de hoje sonham ter um Kronprinz em cada filho?

Será que desejam a guerra, e pensam como Moltke que "a paz perpétua é um sonho, e nem sequer um belo sonho"... ? E que "a guerra é um elemento de ordem mundial instituído por Deus"?

Rio de Janeiro, *Diário de Notícias*, 9 de janeiro de 1932

Desarmamento

Por ocasião do armistício, o então ministro de Instrução da França enviou uma circular aos professores, convidando-os a relembrar aos seus alunos o que deviam aos heróis da guerra. A circular acrescentava que os professores deveriam saber estimular na alma generosa das crianças o desejo de se fazerem dignas de tais exemplos, por seu amor à pátria, seus sentimentos de humanidade, e seu sacrifício às grandes causas...

E os professores franceses tiveram então uma resposta sublime:

> Nós, os combatentes, diziam eles, se aceitamos o que aceitamos não foi porque esperássemos coroas nem arcos de triunfo, desfiles nem cerimônias... Fizemo-lo para que esta guerra fosse a última e para que a paz não se turvasse mais... Para que o espírito guerreiro se estirpasse definitivamente dos cérebros infantis, e as gerações de hoje e de amanhã perdessem até a sua recordação... Evocar a guerra na escola! Sempre será perigoso. Quando se diz às crianças: *"Lembrai-vos dos mortos gloriosos da grande guerra!"* as crianças traduzem: *"Lembrai-vos dos franceses mortos pelos inimigos!"* E essa lembrança que perdurará fatalmente neles prepara-lhes o espírito para as futuras vinganças...

Não se pode deixar de pensar nisto diante da próxima conferência do desarmamento de que até o idealismo brasileiro vai participar.

Suprimir as armas é difícil. Mas, ainda quando fosse fácil, não seria bastante. As armas são apenas o instrumento inventado para o serviço de um intuito. É o intuito, portanto, que se precisa suprimir. É o espírito que se precisa desarmar, antes da mão. Por isso mesmo, todos os educadores se têm voltado para a escola e para a criança, com a mais firme esperança de começarem por aí a obra de pacifismo universal. E é com amargura que Wells escreve:

> O patriotismo forma-se um pouco pelo ambiente doméstico; até certo ponto, pelos livros; mais, talvez, pelos jornais; mas principalmente pelo ensino da história em nossas escolas. Essa obsessão de independência

soberana dos Estados, que constitui o único obstáculo real para a federação e a paz mundiais, tem por base o ensino, nas escolas, da história puramente nacionalista ou imperialista. Admite-se que se deve ser patriota, e que jamais se poderá pensar de outra maneira. Enquanto não se modificar tal sistema de ensino, é impossível a conquista de uma paz mundial permanente.

Depois, olhando em redor de si, Wells acrescenta: "Na hora presente, o ensino da história nas escolas britânicas tem a tendência combativa que tem no mundo inteiro". E mais adiante: "Em todo o mundo, enquanto se repetem as conferências e os políticos fazem discursos, *novas sementeiras bélicas vão sendo semeadas nas escolas"*.

Esta visão clara e sem pessimismo devia ser a de todos que de algum modo se preocupam com a vida humana, que as incógnitas da guerra estão espiando entre a sombra dos tempos.

Mas, enquanto o Ocidente sofre entre as ambições de paz e as limitações de duros interesses, para resolver o seu sonho pacifista, Gandhi prega do seu deserto:

> A não violência absoluta é uma ausência total de má vontade contra todas as coisas que vivem. Ela se estende até os seres inferiores à espécie humana, sem excetuar os insetos e animais nocivos. É o amor puro. A não violência é um estado perfeito. É um fim para o qual tende, sem o saber, a humanidade toda. O homem não se torna divino quando, em sua pessoa, encarna a inocência: só então é que principia a ser verdadeiramente homem. Assim como somos, atualmente, meio homens, meio animais, temos a pretensão, – na nossa arrogante ignorância – de desempenhar o papel que nos compete, quando retribuímos golpe com golpe e nos abandonamos à cólera. A força não depende da capacidade física; procede de uma vontade indomável. Não sou um visionário. Pretendo ser um idealista prático. O culto da não violência não é unicamente para os *rishis* (sábios) e os santos. É também para o vulgo. A não violência é lei da espécie humana como a violência é a do bruto. A dignidade do homem exige a sua obediência a uma lei superior ao poder do espírito. Os *rishis* que descobriram a lei da não violência, no meio da violência, foram gênios maiores que Newton. Foram guerreiros maiores que Wellington. Tendo-se servido de armas, compreenderam a sua inutilidade e ensinaram a um mundo fatigado que a salvação não se encontrava na violência, mas na não violência.

As conferências do desarmamento terão de se repetir interminavelmente enquanto não se derramarem os sonhos de Gandhi nas aspirações de Wells, – e a escola não for o próprio laboratório da paz.

Mas Gandhi, que fala, está preso... Os idealistas, os políticos e os fabricantes de material bélico são os que pensam que podem falar...

Eles e esse delicioso lorde Inchcape, que tem 79 anos de idade, começou ganhando a vida a dois xelins por semana e hoje é chefe da Peninsula and Oriental Steamship Line, além de outros interesses em bancos, estradas de ferro, minas de carvão, fábricas de seda e chá etc. etc. Esse delicioso lorde, que, com todas as suas libras, nascidas dos seus modestos xelins, não teve dúvida em chamar a Gandhi "fanático sedicioso e miserável...".

"Fanático sedicioso e miserável..." Ah! lorde Inchcape, pois desses xelins que a sua arrogância não quer ver é que vai nascer todo o ouro da paz que os seus herdeiros talvez não desdenhem, um dia...

Rio de Janeiro, *Diário de Notícias*, 13 de janeiro de 1932

Uma questão de solidariedade

Estamos diante de duas conferências notáveis, que em breves dias definirão os seus propósitos: a de Reparações e a de Desarmamento.

Ambas se originam da guerra. Ambas vêm cheias de recordações dolorosas e de esperanças deslumbradoras. Mas uma olha para o futuro e sonha dias pacíficos. Outra insiste em ver o passado e deseja a reparação dos prejuízos sofridos com a grande catástrofe internacional.

Mas o mundo se debate numa tal aflição econômica e as possibilidades de atender positivamente à Conferência de Reparações é tão manifesta, que se fica temendo pelo êxito da Conferência do Desarmamento, – pois qualquer tentativa de pagamento de dívidas de guerra que se decidisse por um meio violento seria a anulação dos sonhos pacifistas e um recomeço, no mundo, de dias mais sinistros ainda que estes que agora vão passando por nós.

Para resolver tão complicada situação, sugere a imprensa fascista que os Estados da Europa, diante da declarada insolvabilidade da Alemanha, e em face do credor geral representado pelos Estados Unidos, desistam dos seus direitos às respectivas reparações, na esperança de que a América se comova e se dê como paga, por sua vez, dos seus prejuízos.

Um artigo do *Popolo d'Italia*, comentando o caso, coloca a situação nos seguintes termos:

> O interesse dos Estados Unidos está em fazer um gesto de renúncia que redundará, em fim de contas, no próprio benefício. Não somente nada perdem, senão que vêm a ganhar por outro lado o que anulam formalmente.
> O primeiro passo, porém, deve ser dado pela Europa. Não se pode pretender que incumba aos Estados Unidos tomarem semelhante iniciativa. Esta cabe à Europa, que deve colocar a América diante de uma situação irrevogável, à semelhança dos Estados europeus que aceitam como fato consumado a declaração da insolvência do Reich. Pode admitir-se que os americanos cheguem a recorrer a atos de hostilidade no terreno econômico? Não. A economia mundial é solidária. Quem a fere em qualquer parte do globo vem a ferir-se a si próprio. As represálias alfandegárias

provocam medidas de reação do mesmo gênero. A derrocada de uma moeda põe em perigo imediato de ruína os demais valores monetários, dos mais próximos aos mais remotos.

O mundo precisa dos Estados Unidos, mas estes necessitam, a seu turno, mais do que nunca, da Europa e do resto do mundo. O grande sino da realidade toca e rebate entre as duas margens do Atlântico.

Como se vê, de uma ou de outra maneira sempre se chega ao formidável reconhecimento da necessidade de fraternização humana. O interesse econômico está exigindo uma definição de solidariedade que parece ser a única fórmula para, ao mesmo tempo, se cobrirem de aplausos as duas conferências prestes a se realizar.

Os homens de hoje precisam dar uma prova dessa solidariedade, e nunca ela foi tão oportuna quanto agora, que se vem firmar sobre as últimas lembranças trágicas da guerra.

Os homens de hoje precisam transmitir às crianças que não viram os dias negros nascidos em 1914 a confiança que as outras perderam, – que eles mesmos lhes tiraram – fazendo menos horrível, no futuro, a lembrança desse passado tão impossível de reparar.

Rio de Janeiro, *Diário de Notícias*, 15 de janeiro de 1932

Desarmamento...

A próxima Conferência do Desarmamento esboça-se entre tamanhos perigos, tão cheia de problemas complexos, e com tantas dificuldades de solução, antecipadamente evidentes, que se chega ao justo receio de ver neste sonho de paz um fermento de nova guerra, e, nesta oportunidade única para o acordo possível dos interesses de todos, o prólogo de uma tragédia que, à mais leve imprudência, quebrará os diques de quaisquer esperanças invadindo o mundo com todas as forças da sua violência.

Qualquer tentativa de desarmamento que não esteja fundamentada, de princípio, numa visão nova e mais compreensiva da vida, que não represente, na realidade, o pensamento pacifista e a vontade de confraternização dos países interessados, – poderá ser um pretexto, quando muito, para discussões brilhantes do assunto, mas não assentará nenhuma construção firme, na obra da paz mundial que o espírito moderno reclama.

Falávamos há dias na ação da escola, preparando criaturas de coração desarmado, vidas despojadas de violência e fortalecidas em poder criador, encontrando para expansão dos seus impulsos abertos todos os espaços em que as mãos são capazes de construir: as mesmas mãos que, satisfeitas, e nobremente fatigadas de tanta atividade gloriosa, possam considerar desprezível a arma que mata, sabendo o valor das armas que dão vida.

Encontramos agora num jornal americano uma bela entrevista de *miss* Mary Woolley, que tem sobre o assunto pontos de vista dignos de toda a atenção.

Miss Mary Woolley vai participar dos trabalhos da próxima Conferência de Genebra, como delegada dos Estados Unidos. É uma senhora de quase setenta anos, que se tem dedicado a questões internacionais, e com uma larga prática dos problemas humanos, quer pelo uso da vida em geral, quer pela sua condição especial de educadora, em contato direto com almas de estudantes.

Solicitada para falar sobre suas esperanças relativamente à Conferência do Desarmamento, *miss* Mary Woolley referiu-se preliminarmente ao estado de espírito observado nas mulheres, que só em algum caso excepcional deixam de ser favoráveis à paz.

Essa observação já seria bastante para nos fazer pensar imediatamente no poder eficaz da obra educacional, sabendo-se que a educação da humanidade está, positivamente, nas mãos das mulheres de todos os países.

Mas é a própria *miss* Woolley que diz, mais adiante, como podem as mulheres intervir na obra do desarmamento e da paz mundial. Ela encontra dois campos vastíssimos de ação: a escola e o lar, onde se podem ir substituindo as ideias chauvinistas por outras, mais generosas, de cooperação internacional.

Na sua opinião, se as mulheres voltassem seu interesse para as coisas que se vão passando pelo mundo, fazendo delas o motivo das suas conversações, o progresso dos ideais de fraternidade revelaria logo os seus efeitos.

Conversando à mesa sobre esses assuntos de que depende a própria vida humana, *miss* Woolley acredita que as mulheres estariam incrementando dia a dia a obra da paz e assegurando ao mundo a felicidade do trabalho confiante e da alegria sem dúvidas e sem precauções.

A aproximação internacional, por outro lado, a ação do intercâmbio intelectual e da amizade feminina são, para essa mulher idealista, elementos capazes de uma influência poderosíssima para a aspiração a que atende a próxima Conferência de Genebra. E lembra as estudantes que, da Índia, da China, do Japão, da França, da Alemanha, têm vindo à sua escola de Mount Holyoke, como exemplo da maneira de alcançar os países mais distantes, pelo convívio e pela camaradagem do estudo.

Miss Mary Woolley, fazendo parte da delegação norte-americana, na Conferência do Desarmamento, vai, com as suas ideias, que são as de uma mulher de nobre pensamento defendendo a paz com a obra de educação, provar que, afinal de contas, os tempos vêm evoluindo: antigamente, segundo os jurisconsultos árabes, só havia quatro mulheres notáveis neste mundo: Khadidja, a mulher do Profeta (sobre ele a bênção de Allah!), Fátima sua filha, a Virgem Maria e a esposa do Faraó...

Rio de Janeiro, *Diário de Notícias*, 24 de janeiro de 1932

A desilusão da mocidade

É verdadeiramente uma coincidência trágica esta de, no momento em que deveria ser resolvida ou, pelo menos, mais bem estudada a questão do desarmamento, irrompa no mundo a guerra sino-japonesa de que, evidentemente, todos teremos, por vários modos, de participar.

Pois, por maior que seja o nosso otimismo, conhecida a atual situação de cada povo, e ouvidas com atenção as palavras dos homens de maior responsabilidade, tem-se cada vez menos esperanças de qualquer acordo, em que os interesses da humanidade se conciliem, ainda que com esforço, unicamente pela ansiedade de se realizar a experiência da paz, difícil, mas indispensável.

No entanto, o fim da Grande Guerra tinha sido um clamor unânime contra a destruição e a morte.

E a única bandeira digna de envolver o último soldado caído seria a da esperança de que a sua queda era o último dia da última guerra, – e dali por diante, os homens sobreviventes se uniriam num pacto fraternal, respeitando a lembrança da sombria epopeia que eles, os mortos, tinham realizado para exemplo e oferenda à vida que se continua...

Exemplo e oferenda inúteis, – bem o vemos agora.

Certa vez, os personagens de Remarque põem-se a falar:

Por que há guerras? E como resolvê-las?

Um dos interlocutores encontra a forma lógica de dar fim às questões internacionais, entregando-as aos respectivos responsáveis. Na sua opinião o povo não tem nada com esses casos: não é justo, portanto, que seja ele o encarregado de os liquidar.

A opinião do personagem de Remarque está claro que não vai prevalecer, malgrado o que contém de lógico.

Como sempre, se acaso não se dissiparem estas escuras ameaças que vamos sentindo cada vez mais perto, serão os moços, os moços sem interesses e sem cumplicidades, os primeiros a partir como os seus antecessores, mas sem a esperança de o fazerem para proveito de outras gerações, porque, em pleno desmoronamento do mundo, depois de uma catástrofe memorável, com associações e congressos de paz, a guerra ainda tem poder sobre os homens, e os homens ainda não têm poder sobre a guerra...

A desilusão da mocidade é o presente mais triste que lhe pode fazer a vida.

E os moços desiludidos, de volta – os que voltarem – dos campos sem glória da morte, que coragem poderão ter para mais uma vez, no futuro que lhes couber, tentarem repetir às outras gerações um sonho em que eles mesmos já não acreditam mais?

Rio de Janeiro, *Diário de Notícias*, 3 de fevereiro de 1932

O recurso extremo...

A Conferência do Desarmamento, neste momento reunida, é um ponto culminante no interesse dos educadores, porque a obra de educação não é, no fundo, outra coisa senão um permanente esforço para, dando a cada indivíduo o gozo de todas as suas possibilidades, assegurar ao mundo a totalidade harmoniosa da sua expansão.

Mas essa Conferência que se realiza no mais incrível instante que o tempo lhe podia preparar, – quando o oriente ameaça pôr à prova a capacidade pacifista do mundo inteiro – parece não conter tanta riqueza de esperança como seria necessário e desejável.

A dificuldade de todas as coisas parece estar sempre numa certa falta de memória que acomete as criaturas fora do instante das suas emoções urgentes. Assim, por exemplo: quando os homens de hoje foram crianças, sentiram todas as inquietudes e careceram de tudo que as crianças de agora reclamam. Que é feito, porém, da memória dos homens de hoje? Anda afogada em novos interesses. As crianças ficam lamentavelmente esquecidas. E quando estes homens envelhecerem, a mocidade dos outros lhes será intolerável. Porque já não é a sua. Já não a podem entender mais. Saiu-lhes da sensibilidade, e da memória, que não é senão uma sensibilidade que persiste.

Com a guerra, a mesma coisa.

Depois de todas as tragédias do passado, que se ia já convertendo em mitologia, a Grande Guerra de armas levantadas sobre todas as vidas foi um estremecimento que acordou os homens, ferindo-os no mais íntimo sentimento de si mesmos, que é o do perigo de deixar de ser.

E o armistício foi um suspiro de alívio que parecia ter até conseguido entreabrir uma última vez os lábios já desfeitos na terra. E era como se todos os campos fossem florescer desse milagre.

Dia após dia o esquecimento veio gastando a esperança.

Os homens contemplativos, seguindo a palpitação dos espetáculos, começaram a ficar perplexos.

E a perplexidade inventou mil caminhos para a certeza da paz. Entre eles, o da Nova Educação.

Não há tristeza maior que a da visão de uma irremediável decadência humana. A guerra deu-nos essa visão, larga e clara.

Tão larga e tão clara e tão triste que tinha o poder exclusivo dos acontecimentos excepcionais: permitir a tentativa de reconstrução da vida, fazendo a humanidade de novo.

É nessa empresa que se vêm empenhando todos os que realmente estão vivendo e que para viverem fazem até o sacrifício de não estarem existindo.

A experiência da realidade de todos os sonhos; a angústia de plantar o pensamento no chão sempre misterioso do mundo; a ansiedade de vencer a resistência do tempo com a velocidade da ideia; a obstinação de adivinhar o momento oportuno e o gesto que pode vingar na sua órbita, – essa é a obra que se tem vindo fazendo aos pedaços, mutilada pelas distâncias, mas una e verídica na intenção dos seus fragmentos incomunicáveis.

A Conferência do Desarmamento devia ser a coroação dessa obra.

Será?

Ou a guerra estará sendo pensada apenas como uma questão técnica, em vez de estar sendo recordada como um problema humano?

O delegado chinês à Conferência de Genebra teve esta lembrança extraordinária: colher pelo rádio, no próprio recinto da conferência, os rumores da luta em Shanghai. Eu acho a sugestão adorável. Porque assim talvez a realidade se faça mais evidente. Talvez a memória dos homens estremeça outra vez. E alguma coisa imprevista dê outro rumo às palavras que forem brotando sobre a música devastadora que do outro lado da terra vai fazendo cair o passado, antes que ninguém saiba qual é o futuro que vem...

Rio de Janeiro, *Diário de Notícias*, 12 de fevereiro de 1932

Dois poemas chineses

Tu-Fu viveu no oitavo século. Quando a China se reconstruía de sucessivos desmoronamentos. Quando na alma chinesa já se tinham depositado esse perfume e esse gosto da melancolia, ao mesmo tempo serena e penetrante, que mora nas máscaras amarelas como nas paisagens, em que as águas param, cansadas de vida, e a velha muralha vai andando, aos pedaços, resistindo pacientemente à morte.

Um dia, Tu-Fu sentiu a melancolia perfumá-lo e magoá-lo mais. Nesse dia traçou um pequeno poema, que se chama "A partida dos guerreiros", e que diz assim:

> Lin, lin, lin... – desfilam os carros.
> Siao, siao, siao... – os cavalos relincham. Os guerreiros afastam-se, aljava às costas, arco ao ombro. Pais, mães, mulheres, crianças, que os acompanham, choram e agarram-se a eles, para os reter. O gemido dessa multidão domina o soar das trompas. E é tal a poeira, que o exército passa a ponte Hien yang, sem a enxergar...
> Alinhados pelo caminho, os passantes interrogam os guerreiros, que lhes respondem sempre o mesmo: "Nosso destino é andar".
> Aos 15 anos, muitos deles já se batiam na fronteira do norte. Agora, que têm quarenta, vão acampar na do oeste. Quando partiram, o chefe da aldeia lhes deu um touca do de gaze preta. Voltaram. E agora tornam a partir... De cabelos brancos.

Passaram-se séculos sobre Tu-Fu. Dentro dos séculos, seus poemas permaneceram como as estrelas no fundo da atmosfera.

E vieram outra vez os mongóis... E de que serviram as Muralhas de Chi-Hoang-Ti?

"Por toda a parte se ouviam murmurar os rios de sangue..."

E o poeta Wang Tchong, nesse fim do século XIII, que via desaparecer a dinastia Song, lembrou-se de Tu-Fu, e da visão da guerra que também o entristecera quando a pátria se unificava, com os Trang.

E escreveu por sua vez um poema, que se chama "Escudos e lanças", e que diz isto:

> Escudos e lanças não serão, pois, nunca abandonados?
> Que fazer para os ignorar?
> Já tenho cabelos brancos e ainda não realizei nada.
> Ando errante, na vida, como Wang Tsraon.
> E a inquietude dos meus sentimentos é um pouco assim como a dos
> [poetas de Tu-Fu.
> As pastorinhas deixaram de cantar: meus amigos estão longe... A uma
> [distância de milhares de *lis*.
> Assim, – como a pega que constrói seu ninho, desde as lunações de
> [inverno, nos galhos ainda desnudos, –
> Irei também para a montanha, e me embriagarei durante milhares de
> [dias.
> Para ficar insensível, até chegarmos ao tempo da grande paz.

Agora a China diz: "Nós não queremos a guerra. Mas combateremos até o último homem."

E o Japão replica: "Nós não queremos a guerra. Mas precisamos defender-nos dos ultrajes."

Vêm os telegramas e dizem: "Os japoneses pensam avançar até a Mongólia".

Vem o encarregado de negócios e diz a um dos nossos jornais: "As crianças japonesas eram barbaramente apedrejadas pelos chineses, quando iam para a escola. E muitas delas morriam".

E nós, habitantes do século XX, temos de ver ainda isto, que era a melancolia de um poema do oitavo século...

Sem podermos, sequer, subir para montanha nenhuma, onde nos embriaguemos até o tempo da grande paz.

Porque esse tempo somos nós mesmos que ainda o queremos fazer, no espaço que vai do troar dos canhões ao cair dos corpos, antes de cairmos também, sem sabermos a quem deixar a responsabilidade desta frágil esperança.

Rio de Janeiro, *Diário de Notícias*, 26 de fevereiro de 1932

Cruzada da juventude

Esta moção da juventude que acaba de ser apresentada à Conferência do Desarmamento significa o interesse das novas gerações pelos problemas internacionais, principalmente no que se refere ao convívio amistoso dos povos.

Ponderando bem, não encontramos, na verdade, força mais justa para definir a situação do mundo que a força da mocidade, – que é o presente constante da vida, a atualidade sem fim dos tempos, o momento definitivo da afirmação humana, fora do qual tudo é apenas ou esperança ou recordação.

A velhice é a desistência de viver, exata e vigilantemente, a realidade dos instantes que, em sua sucessão variável, constituem a novidade característica das épocas. Como a infância é ainda a impossibilidade de sustentar uma definição própria, em face das céleres mutações a que ainda não se adaptou seu ritmo interior cheio das demoras voluptuosas da eternidade.

A juventude tem os privilégios do que atingiu sua floração, e, por ela, se apropriou do ambiente, impondo-lhe a força do seu mérito como indiscutível verdade.

Ela tem o direito de falar em nome dos habitantes do mundo inteiro: porque, se esses habitantes tivessem de delegar a um pequeno número as suas atribuições de pensar e de agir, procurariam a mocidade, que está entre a velhice e a infância, quando uma já se despede e a outra ainda não se fez anunciar.

Ela reúne, no seu estado de pureza, a capacidade para as experiências, que é dom dos que já viveram, – e a surpresa de todos os sonhos, – virtude dos que ainda vão viver.

Pelo equilíbrio das suas aspirações e dos seus mistérios, e pela inquietude do melhor, que é o estímulo para todas as construções – a mocidade que não se esquece do seu próprio sentido merece um lugar de destaque no debate dos problemas que interessam à humanidade.

E o maior deles é o problema da paz.

Charles D. Hurrey escreveu certa vez:

Não há dúvida de que a opinião estudantil em todas as nações tende para uma democracia mais ampla, e se manifesta contra o militarismo; se os estudantes pudessem ver realizadas suas aspirações, os armamentos se converteriam em meios de educação; a exploração dos povos atrasados, as diferenças raciais e o imperialismo econômico cessariam para sempre. É agradável comprovar a unidade dessa devoção a nobres ideais de progresso internacional, aspiração que surge ao calor da amizade nascida nas atividades estudantis.

O artigo de Charles D. Hurrey se referia aos estudantes estrangeiros das universidades americanas e, por isso, dizia também: "Estes estudantes peregrinos são, primordialmente, embaixadores de educação e de amizade internacional e, como tal, são *cidadãos do mundo*".

Eu não queria fugir do assunto desta crônica, especialmente sobre a *Cruzada da Juventude*. Mas que é essa *cruzada* senão uma embaixada de educação e de amizade internacional, indo, como foi, à Conferência do Desarmamento levar seus votos de êxito pelo mais grave problema do mundo, talvez no mais grave instante da sua solução?

Rio de Janeiro, *Diário de Notícias*, 8 de abril de 1932

O destino das esperanças

Nós temos a esperança da paz, que é, acima de tudo, uma esperança de amor. Mas o mundo atravessa tempos bem extraordinários, e não se sabe quando o sonho dos homens justos poderá encontrar seu momento de vida, e o destino das esperanças custa a encontrar o espaço para sua definição.

A força de sonhar, apenas, não basta. Como foi que a vida ficou assim tão coberta de dificuldades, tão revestida de impossíveis para que a mais natural aspiração, a que anda mais perto do segredo da sua própria estrutura, o equilíbrio da criação sobre a sua realidade, se torne dessa maneira uma coisa longínqua e estranha, de que o pensamento duvida de vez em quando, e chega a julgar uma divagação arbitrária pronta a perder-se na sua inconsistência ou deixar-se corromper na sua intenção?

A última guerra tinha-nos deixado uma lembrança de decadência, um sentimento doloroso de precariedade, de inutilidade humana, de afastamento das direções autênticas da vida. E, por isso tudo, recebêramos, como último recurso contra a desilusão, e a inércia do desânimo, o apagamento dos sonhos, a esperança numa outra interpretação da humanidade, o desejo de uma outra adaptação ao jogo dos acontecimentos, a idealização de um poder de harmonizar as contradições, para as vencer sem as extinguir, fazendo da sua concordância a aventura instável mas permanente de uma serenidade possível à superfície da terra.

Os olhos que entristeceram com aquela calamidade conceberam um pensamento difícil, mas belo, de ver o mundo sustentar-se, com todas as aparências mutuamente hostis, pela ansiedade heroica de não sucumbir miseravelmente, e para não dar a cada homem, como último refúgio para o desencantamento, o gosto grave de uma solidão estéril, e a incomunicabilidade final com a vida exterior.

Poder-se-ia supor que nunca mais os homens se atreveriam a uma experiência do mesmo gênero – suposição otimista e um pouco lírica; sonho de clarividência humana; convicção na vontade de não repetir jamais um erro cometido – como aquele discípulo amado de Confúcio.

Mas o estado da terra é um estado de esquecimento: um estado de fadiga e talvez de desorientação. Os erros repetem-se. (Ou as experiências.) Que queremos? Para onde vamos? Que esperanças trazemos agora conosco? E seu destino qual é?

Nós temos a esperança da paz. Mas andam surdos rumores pela curva do globo. Anda em ritmo de desespero através das vidas. Será que descremos, às vezes, do sonho que sonhamos? Ou tememos pela sua sorte? Ou sentimos a sua possibilidade de morte, e o abafamos em nós, aguardando o momento oportuno?

E então nos voltamos para a educação. Como um último apelo. Para que o sonho não se perca, e se faça realidade sem deixar de ser sonho. E é tão belo que entristece. Porque o instante da beleza definitiva deixa sempre os olhos úmidos. A gente pensa: "Se fracassa a beleza, que pode mais restar ao homem para seu sustento?"

Rio de Janeiro, *Diário de Notícias*, 1º de maio de 1932

Cartas de estudantes mortos na guerra

Estou lendo umas cartas de estudantes alemães mortos na guerra, extraídas da coleção do professor Ph. Witkop, e acabadas de publicar por Paul Desjardins, que lhes acrescentou um prefácio e um *post-scriptum* cheios de sugestivas considerações sobre a paz.

Veem-se aqui reunidos pensamentos de jovens universitários de Marburg, Munique, Berlim, Leipzig, Strasbourg, Dantzig etc., que estudavam filologia, direito, teologia, ciências, arte, comércio etc. e tombaram aos vinte anos, ainda com os olhos assombrados pela primeira visão trágica da guerra.

É um livro que comove, como se estas cartas tivessem sido escritas para nós, por um parente amado, cujo coração estivéssemos acostumado a sentir perto do nosso e que, no entanto, se revelasse, de súbito, estranhamente distante, vendo outros horizontes e caminhando para eles, contra a sua vontade, com uma nostalgia de criança que vai perdendo o colo de sua mãe.

Remarque já nos tinha dado uma revelação desta *queda na infância* – digamos assim – que surpreendeu a mocidade culta ou inculta que neste princípio de século viu nitidamente, com os seus próprios olhos, o abismo em que era forçada a se precipitar, quando envergou uma farda e partiu para a guerra.

Estas cartas são a documentação das cenas atrozes de Remarque: elas nos mostram o espetáculo de um exército de meninos, de meninos autênticos, com todas as virtudes extraordinárias que possam estar nessa expressão; um exército de meninos partindo para um horror que ainda não conhecem, mas instintivamente detestam, e deixando atrás de si duas solicitações contraditórias: o aconchego materno, que os prende à vida, que é mesmo a sua esperança para o milagre da volta; e a adoração patriótica, o exagero do preconceito cívico, o fanatismo da nacionalidade, que, infiltrados pelo Estado através da ação educativa, criaram um dever fantástico, anti-humano, sobrepondo à vida verdadeira a máscara de uma outra vida convencional.

Ante as amargas perspectivas do *front*, cada menino daqueles viu seu retrato desdobrar-se, na solidão dos instantes meditativos. Todas estas cartas são o jogo de dúvidas entre personalidades opostas: a humana e a arbitrária; a que nasceu no mundo dentro das leis da harmonia geral, e a que os interesses transitórios moldaram, em fôrmas de aço, dando-lhes uma resistência obstinada e incrível, é certo, mas à força de a comprimirem, roubando-lhe o valor efetivo em troca de outro, ocasional e cruel.

Não é, pois, de admirar que estes meninos, escrevendo para casa ou anotando apenas suas impressões num diário, não só revelassem a luta desses dois aspectos de si mesmos como também se voltassem para o seu "eu natural" quando verificavam que só ele era autêntico e ele só podia ser salvo da destruição.

"Nestas cartas" – diz o prefaciador – "o que principalmente se afirma é a necessidade de ainda se sentirem vivos...".

E a vida não é o que ensinam os professores fanáticos, os animadores e responsáveis por todas as guerras, esses felizardos que, do refúgio dos tempos já inadequados, vão lançando, para a mocidade crédula e pura, a semente dos crimes que ela ficará forçada a cometer.

Passar os olhos por este livro é caminhar por um cemitério, lendo nos mármores inscrições que valem por uma tragédia completa. Por exemplo: "Walter Limmer, estudante de direito, nascido a 22 de agosto de 1890, morto a 24 de setembro de 1914, em consequência de um ferimento recebido a 16 de setembro, nas proximidades de Châlons-sur-Marne".

Vira-se a página: sua última carta é de 20 de setembro; quatro dias depois de ferido, quatro dias antes de morrer. É dirigida à família, aos pais, aos irmãos e irmãs, e termina assim: "O destino concedeu-me a esperança de mergulhar ainda uma vez meu olhar nos vossos olhos queridos, se acaso não sobrevier algum desagradável acontecimento".

Vai-se andando: "Benno Ziegler, estudante de medicina, nascido a 29 de maio de 1892, morto a 8 de outubro de 1914, nas proximidades de Aunay (Pas-de-Calais)". Este relembra a hora em que se despediu do pai e conta que socorreu um companheiro ferido, recebendo, como agradecimento, uma camisa de seda e um cachimbo...

Mais adiante: "Paul Kress, estudante de arquitetura, nascido a 9 de outubro de 1894, morto a 21 de novembro de 1914, diante de Lodz". Tão menino, este, que repete os lugares-comuns que lhe ensinaram, como quem vai falando no escuro para espantar o pavor...

Crônicas de educação 4 • 203

"Franz Blumenfeld, estudante de Direito, nascido a 26 de setembro de 1891, morto a 18 de dezembro de 1914, perto de Contalmaison (Somme)." A certa altura, escreve assim: "Pelo que agora sei da guerra, tenho-a por uma coisa tão horrorosa, tão indigna da humanidade, tão insensata e arcaica, tão funesta, de todas as maneiras, que estou resolvido, se dela voltar, a impedir que coisa semelhante possa tornar a acontecer no futuro".

Ele tinha, principalmente, a inquietude de poder vir a ficar insensível e indiferente, de tanto ver homens e cavalos mortos naquela fria paisagem devastada e hostil.

"Emil Alefeld, Ciências Aplicadas, nascido a 12 de dezembro de 1892, morto a 20 de dezembro de 1914, em Flandres." A 8 de novembro, ele se debate na dúvida sobre o valor de uma vitória que seja apenas das armas:

> Trata-se, para mim, da luta por uma ideia, da visão de uma Alemanha purificada, leal, honesta, sem baixeza e sem fraude. Sucumbir com esta esperança no coração talvez seja melhor que vencer e constatar que se alcançou uma vitória apenas exterior; que os homens não melhoraram por dentro.

Passa-se um mês, já está quase chegando a morte, e a sua dúvida continua:

> ... combaterei, morrerei, talvez, pela minha fé numa bela, grande, sublime Alemanha, de onde ficassem banidos baixeza e egoísmo, e onde a honra e a lealdade reconquistassem seus direitos. Ainda estamos muito longe disso. Somos demasiado fracos, demasiado egoístas, não somos verdadeiramente "homens".

Essa parece que é a sua última carta. E assim morreu.

"Kurt Schlenner, Direito e Ciências Políticas, nascido a 21 de abril de 1895, morto a 26 de dezembro de 1914, em frente de Ypres." Este faz um rápido estudo do que se entende pela palavra "camaradagem".

> Dividem-se os homens em bons e maus camaradas. Aquele que, marchando à noite, pelo campo, pensa unicamente em si, precipitando-se atrás do homem que o precede sem se inquietar com o outro que o acompanha, a esse chamamos um mau camarada. Um outro, que, malgrado as suas próprias dificuldades, acha tempo para ajudar o homem que o precede a sair dos lodaçais e para prevenir dos obstáculos aquele que o segue, esse é dos bons.

As lápides continuam:

"Karl Aldag, estudante de filologia, nascido a 26 de janeiro de 1889, morto a 15 de janeiro de 1915, perto de Fromelles." Morreu em janeiro; em dezembro, escrevia: "Este ano, festejaremos o Natal muito estranhamente, e em plena contradição com o evangelho do amor..."

"Karl Iosenhans, estudante de teologia, nascido a 4 de outubro de 1892, morto a 29 de janeiro de 1915, em Argonne." Este, depois de ler umas cartas francesas, chega a esta conclusão assombrosa para o seu espírito: que os inimigos não são diferentes: que escrevem as mesmas coisas, sobre os mesmos assuntos... Pobre estudante de teologia, que foi aprender na guerra uma coisa tão simples! E talvez algum remorso lhe doesse no coração, para poder dizer isto: "É bom que o homem possa esquecer, que muitas lembranças se apaguem, – porque elas nos esmagariam".

São muitas as cartas, embora em quantidade insignificante quando se pensa no que foi sentido e escrito das trincheiras, por esses escravos da guerra, dos quais os mais felizes talvez tenham sido aqueles, na verdade, que morreram. Com a sua publicação, Paul Desjardins procurou trazer mais uma contribuição à paz – certo de que a revelação dessa trágica mocidade pudesse comover os homens bárbaros que ainda não aprenderam a amar a vida. Que não a sabem amar com esse respeito, essa elevação, essa pureza primitiva que esses jovens sacrificados sentiam, debaixo do fogo implacável, sustentados de uma esperança que só se nutria de perigo – "verídico e sozinho, cada um deles, como só se pode ser ao contato sério da morte".

E por ser um livro feito com esse intuito, e de uma grandeza que merece ser conhecida, pelo que encerra de autenticidade, de inquietude e dor, estas palavras ficam sendo de simples apresentação! Sobre ele há muito que pensar e que dizer.

Rio de Janeiro, *Diário de Notícias*, 29 de junho de 1932

Cartas de estudantes alemães mortos na guerra [I]

Depois da primeira surpresa e com o primeiro sentimento de profundo horror, começa, na alma destes soldados-meninos, o grande conflito moral:

> Penso no grande problema que a guerra levanta. Em casa, os pregadores resolvem-no mais facilmente que nós, para quem ele é uma opressiva questão de consciência. Durante o combate, o instinto de conservação e o ardor da luta não dão margem à reflexão. Mas no repouso, ou na trincheira, é diferente. Causa estupefação e horror o crescente requinte dos engenhos de destruição. Em nós, o conflito não serena entre o "Não matarás", inscrito na alma de todos, e o dever sagrado também: "É necessário, pela pátria". Este conflito pode ficar adormecido algum tempo, mas existe sempre. Muitas noites fico absorvido por ele, à hora em que a gente se contempla a si mesmo.

E o jovem Johannes Haas continua o seu solilóquio:

> Esta guerra de toupeiras é assim estranha por não ser uma luta franca, a descoberto. Daqui a pouco as cotovias vão cantar seus cânticos matinais, sem se preocuparem com balas e granadas. E nós, com o raiar do dia, vamos começar a disparar, ao acaso. Massacre estúpido. Tudo uma questão de fidelidade ao dever. Creio que nós, alemães, possuímos essa virtude em grau mais alto que os outros. Prova-o esta guerra terrível. Ter contribuído para inculcar em nosso povo este sentimento do dever dá um direito de existência ao militarismo, execrável do ponto de vista humano.

É certo que ele diz "execrável, do ponto de vista humano", – mas já se sente uma tentativa de justificação íntima nessas palavras, uma forma de apaziguar o conflito que o abala. E esse é talvez o ponto mais interessante na psicologia destes moços que, sozinhos no meio de uma guerra espantosa, vão procurar, com as suas energias, criar uma convicção que os salve do desespero e da loucura, os caminhos mais legítimos para quem se achasse numa semelhante situação.

Outros recordarão as palavras ouvidas em classe ou lidas nos livros, buscando recursos nos preconceitos patrióticos:

> ... não me parece uma brilhante ação matar muitos dos meus semelhantes nem distinguir-me por quaisquer façanhas guerreiras. A guerra parece-me, ao contrário, coisa muito nefasta, e creio que uma diplomacia mais hábil ainda desta vez a teria podido evitar. Mas, agora que está declarada, acho natural que cada um se sinta uma parte do grande todo que é o nosso povo e una o mais estreitamente possível o seu destino individual ao destino comum.

Karl Aldag vai mais longe:

> Orgulho-me de que estejais orgulhosos de mim, e ao mesmo tempo me sinto humilde quando penso no que o destino me pode reservar. Meu orgulho provém de, por mim, todos os meus concorrerem para realizar os destinos da pátria, tendo a possibilidade de lhe oferecerem um sacrifício.

O patriotismo podia ser, assim, uma razão de conforto para os olhos que já viam de tão perto a morte:

> Quando receberdes isto, ficareis muito tristes, porque eu já não serei mais deste mundo.
> Posso compreender-vos; mas peço-vos uma coisa: não me lastimeis. Seja a vossa dor calma e resignada: sofrei como verdadeiros pais alemães que sacrificam o que têm de mais precioso ao que há de mais precioso: a nossa pátria.

Não obstante, para quem está ouvindo de longe e atentamente, todas essas vozes trazem uma vibração dolorosa, profundamente amarga, em desacordo com a serenidade que desejam exprimir. Elas significam, na verdade, um esforço por essa serenidade. Elas são a voz com que as crianças dizem coisas, na sombra ou no perigo, para imaginarem uma companhia que as tranquilize na sua inquietação.

Conforme os recursos de cada um, assim serão os pontos de apoio para esta experiência formidável.

Inúmeros irão despertar suas lembranças religiosas, ou para se entregarem de olhos fechados a um consolo que os embale, ou para as discutirem naquele instante de transe, sentindo que não são bastante fortes e claras para serenarem a alma atribulada dos que estão distribuindo e esperando a morte.

Muitos inventarão um motivo grandioso e ardente para se embriagarem e esquecerem aquela atrocidade:

> Creio, meu amigo, que não mudei nada. Tenho a grande alegria de constatar que a minha concepção da vida e do mundo resiste à prova. Muitos estão reduzidos a procurar toda a sorte de pontos de apoio; eu encontro consolação nas minhas ideias antigas, embora passando por perto da morte todos os dias. Sabes que fui um dos primeiros a partir como voluntário. Temos passado, desde então, coisas terríveis, fadigas incríveis. Mas tornaria a engajar-me, se fosse preciso fazê-lo. É dura a vida, aqui; quase todos os soldados quereriam voltar para casa. Mas esta vida tem também sua grande beleza, seu imenso valor, e só os sofrimentos que nos causam o mau tempo, o frio, a chuva me arrancam frequentemente, a mim também, este suspiro: Oh! a paz e o lar...

Todo um processo intelectual, como se vê, abafando um apelo secreto do coração.

Aliás, há um outro que escreve uma coisa assim:

> Sabemos apenas que, secretamente, a paz é o nosso mais ardente desejo e que temos a vontade indomável de a conquistar pelas armas. Muitas vezes também pensamos na possível libertação de todo perigo e necessidade por uma pronta morte; e esse pensamento já nos é tão familiar que não tem nada de assustador. Nossos melhores amigos, os homens mais admiráveis, se lançaram nos braços dessa morte; por que temê-la e evitá-la? É o mais belo fim que possa ter uma vida. No entanto, nenhum de nós morre voluntariamente, porque sentimos que ainda não acabamos de viver, e o que a vida tem de mais profundo e misterioso ainda se conserva desconhecido para nós.

Esta, sim, que é a verdade definitiva. E o heroísmo destes moços está em convertê-la à aceitação da sua ruptura. Em se conformarem, na mais absoluta solidão de si mesmos, desajudados, inexperientes, amargurados e admiráveis.

... nossas lições de história – diz um deles, – as narrativas de nossos pais e dos livros deram-nos da guerra uma ideia absolutamente falsa, ou, pelo menos, incompleta e, portanto, errônea. Serão os "atos de heroísmo" o que a guerra deve produzir de mais essencial e mais frequente? Será verdade? Qual é, nos atos heroicos, a parte da superexcitação momentânea e instintiva, e talvez de sede de sangue e de ódio injusto que transfere e vinga em cada membro de uma nação aquilo por que é responsável a política de seus dirigentes? Existem atos de heroísmo. Praticam-se, porém, em silêncio, e não são louvados publicamente.

E lembrando os aspectos de decadência daqueles que, sem força para equilibrar sua decepção, tiveram de se abandonar à calamidade, escreve: "E a embriaguez, o embrutecimento, o desprezo de toda ética e de toda estética, a preguiça do espírito e do corpo: os comunicados referem-se a isso, alguma vez?"

Efetivamente, a grande prova heroica era essa de alcançarem uma relativa serenidade, em meio a todos os violentíssimos choques do ambiente horrível...

Perdidas todas as ilusões, todas as esperanças perdidas, esses meninos infelizes concentravam toda a sua vida no desejo de ao menos olhar com intrepidez a morte. Era ainda a vida que vencia, pois. Era ainda a vida que, mesmo tombado o corpo, continuava a gritar seu poder inflexível, pois que tinha feito, só com a sua energia, de cada uma daquelas crianças desgraçadas, um assombroso herói. Um herói sem nada, senão a certeza da sua miséria. E podendo, não obstante, com ela. Fortalecido pelo que era, realmente, a sua fraqueza. Reabsorvendo as lágrimas, para não ficar com a vista obscurecida, mordendo os lábios, para não interromper a voz fria das armas. Não sofrendo, quase, para a morte não ser vitoriosa. Porque a morte pode ser, afinal, uma derrota. E o homem é uma criatura cujo sonho supremo é vencer.

Rio de Janeiro, *Diário de Notícias*, 2 de julho de 1932

Cartas de estudantes alemães mortos na guerra [II]

Pode-se compreender e aceitar a morte; mas sem estar de acordo com ela. Sereno, mas insubmisso.

Ninguém estaria em melhores condições de exprimir semelhante verdade que estes moços que se preparavam nos campos de batalha para a renúncia ao direito da vida:

> Não amas a vida! Terias aprendido a amá-la vendo que ela te vai ser roubada. Terias compreendido, então, quanto é bela. Mas nem isso podes. Ah! meu pobre amigo. Nós, os soldados, não seremos, apesar de tudo, mais felizes que tu?

Como recurso contra o desespero, a própria agonia heroicamente sustentada pode ser motivo de valor e de eficiência.

Todas as palavras tranquilas e indiferentes poderão ser ditas por esses pobres lábios desiludidos: por detrás delas está um coração em fogo forjando uma vontade implacável como arma de seu próprio sacrifício.

E a voz da vida toma todas as inflexões nos ouvidos desses moços abandonados, e solitários no meio de quaisquer tumultos. Faz-se límpida e fresca, relembra as manhãs da infância recentemente passadas, desperta paisagens, cenas, figuras e derrama sobre as coisas uma luz cálida e boa, leve e maternal, que traz um gosto voluptuoso de saudade, e, ao mesmo tempo que consola, vai pondo nos olhos um peso esquisito de lágrimas vagarosas.

Sabe ser grave e sóbria para falar da pátria e de Deus. Mas, então, é também nevoenta e fria. Erram por dentro dela vagas inquietações, dúvidas, ceticismos. Mas em toda inquietação é a vida que ainda se agita. E eles sentiam, de certo, mesmo nas sombras que passavam pelo seu pensamento, o sonho de adivinhar a verdade das coisas, e inclinavam-se a crer que a encontrariam neste mundo, na ação nítida, na afirmação positiva de si mesmos. Aliás, o abandono passivo ao além da morte não é, em nenhum deles, uma solução, mas a resignação à falta de solução.

Eles queriam a vida. A vida era a sua mais bela esperança, a sua única aspiração. Única: porque dentro dela colocavam tudo. Sabiam-na infinita. E talvez até a morte só pudesse chegar a ser admitida e suportada porque, estando dentro dela, participava ainda das suas virtudes e da sua eternidade.

> Passar pelo mundo um ano inteiro – escreve um deles – indiferente a tudo, sem fruir nenhuma beleza, sem se entristecer com fealdade nenhuma, desatar todos os laços e não atar outros novos, e sempre, sempre, unicamente, pensar na guerra, na guerra e em nada mais!
>
> Oh! meu Deus, não se pode. Homem nenhum pode com isto. Um sangue ardente corre ainda nas minhas veias; o sol brilha como outrora, e eu me levanto e saio em plena primavera.
>
> É o mês de maio – As árvores reverdecem – Quem sabe se, ao longe – Uma felicidade vai florir para mim!
>
> Mas vem o eco das montanhas: o som não é o mesmo, – dos negros bosques de pinheiros um outro cântico responde: "Ontem, montado em teu cavalo fiel – Hoje, de peito aberto – Amanhã, no frio túmulo".
>
> Volto para trás, e começo a ler tristemente no meu livro "Regras de exercício para as companhias de metralhadoras".

Mais adiante, o mesmo jovem continuará:

> Meu desejo de viver, minha coragem de viver aumentam dia a dia. Ainda conheço muito pouco a vida para a atirar para longe, como uma coisa sem valor. Quanto ao desprezo da morte, ao heroísmo, confesso que não seria capaz disso a não ser na exaltação do combate, na superexcitação de todos os sentidos, em tensão extrema. Como me parecia fácil, a princípio, renunciar à vida e como eu falava dela superficialmente! É agora: "Ó rainha, a vida é bela, no entanto!"

Foram, aliás, as suas últimas palavras. Porque as escreveu a 13 de julho de 1915, e no dia seguinte morreu.

Outro companheiro repetiria o mesmo sonho obstinado com palavras diferentes: "Fala-se muito do desdém da morte: isso não existe. Estamos todos apegados à vida, presos a ela mais do que nunca; às vezes, mesmo, agarrados a ela convulsivamente."

E outro, ainda mais claramente:

Pensais que estamos dispostos a receber a morte. Sim, na verdade, estamos todos dispostos a receber uma bala e cada qual espera que ela seja "boa", isto é, que venha logo, em pleno assalto, em pleno sol. Mas é falso que "acreditemos" na morte. Se há uma coisa em que acreditamos, é na vida.

Acreditavam e achavam-na bela. Bela. É o adjetivo. Ah! se pudessem resistir!... "Os nervos parecem fios ardentes estendidos pelo corpo. E o fim – triste resignação. Não, eu quero viver, viver, – viver! e dias seguidos luta-se pela vida."

O apelo profundo à vida, na boca desses moços moribundos, tomou um sentido particular, extraordinário e perturbador.

Vê-se que pode haver, na verdade, uma vida criada pelas mãos humanas, uma vida construída com as energias mais remotas do pensamento, do sentimento e da vontade. Uma vida em que o rosto dos mortos persiste, e em que se sustenta o ideal impossível do outro lado de uma realidade provisória, que findou.

Aliás, neste degredo para os campos sangrentos, sem nenhuma espécie de certeza acerca da hora seguinte, e com esperanças conservadas meramente para defesa do sonho comprometido, abre-se para estes moços um território novo, que, entre o fragor das armas e a fatalidade dos desastres diários, antecipava aos tão ardentemente desejados dias de paz um convívio de amor capaz de prometer uma futura humanidade, mais pura e melhor.

Esse convívio, como a realização de uma vida sublimada vencendo todas as decepções e amarguras, com as angústias ocultas, e uma sublime alegria cultivada com denodo, foi a ação mais perfeita que esses heróis-meninos deixaram nos campos de guerra. Foi a repercussão dos seus ideais no coração dos companheiros, foi a contemplação de seus martírios e desejos como na atmosfera de um novo lar, em que homens de todas as origens se pudessem sentir irmãos; foi, afinal, essa invenção de uma vida superior à vida, – a camaradagem, maternal e fraternal, ao mesmo tempo – substituindo tudo quanto pudesse querer possuir um dia aquela mocidade desamparada, que, no íntimo, bem no íntimo de si mesma, sabia com toda a clareza que estava perdendo tudo, mas que, com as suas forças derradeiras, criava a sua própria e a alheia salvação.

Rio de Janeiro, *Diário de Notícias*, 3 de julho de 1932

Cartas de estudantes
alemães mortos na guerra [III]

Eu ainda não consegui acreditar no aviso de Moltke: "Uma paz perpétua é um sonho e nem mesmo um sonho belo". Mas estes moços que morreram na guerra estavam com a sua juventude intoxicada de Moltke e de outros mais.

Assim alimentados de ideias violentas, esses moços foram para a batalha cantando entusiasticamente atrás de uma bandeira. Raros poderiam dizer como um desta correspondência: "Era belo ver os jovens reservistas correr para a bandeira cantando: vós os vistes mas deixastes de ver as mulheres em lágrimas que corriam, ao lado deles, pelas calçadas – essas vi eu".

Esse queria exprimir assim a convicção firme e dolorosa com que tinha partido para a luta e a sua decisão de ir até o fim para servir à humanidade, consciente do seu serviço, tanto quanto do seu sacrifício.

Ora, a guerra foi, principalmente, uma experiência e uma verificação. Um balanço das aquisições do mundo. Uma claridade derramada sobre todos os seus aspectos, as suas supostas verdades, os seus erros ocultos e evidentes.

No entanto, logo depois do horror do espetáculo, o primeiro grito destes moços de vinte anos é pela paz. E o seu próprio esforço na luta é no sentido menos de vencer que de fazer possível aquele ideal que desejam e não sabem quando virá.

> Aqui, agora, tudo está tranquilo. Instalamo-nos em nossa trincheira, como se aí quiséssemos ficar até a paz. A paz! Toda a nostalgia que se apodera de nós quando estamos separados dos nossos, por tanto tempo, e tudo quanto desejamos para nós mesmos, todos os sonhos de futuro que visitam os nossos abrigos, tudo se encerra nesta única palavra tão boa: paz!

O sonho repercute, mais longe: "Estamos fartos de guerra. Não é preciso ser covarde para que tudo que há, em nós, de humano, se revolte contra esta barbárie, esta carnificina atroz. Abaixo! Abaixo esta guerra! Que ela termine o mais depressa possível!"

É um sonho insistente, que vai determinando propósitos energéticos: "Minha grande satisfação é que as minhas opiniões não mudaram, no decurso da guerra. Vi que todos os seus horrores não podem senão reforçar as tendências pacifistas."

E não é sonho apenas desses moços, pois eles de tal modo o sentem em todos que até acreditam que o fim da guerra pode provir da força do próprio sonho:

> O que me aflige é o imenso cansaço das tropas. Seu desejo de paz é terrível, sua elasticidade diminuiu imensamente.
>
> Tenho, às vezes, a impressão de que o desejo de paz, comum a todos os povos, deverá, necessariamente, pôr termo a este massacre. Senão, teríamos de descrer da humanidade.

Ora, o depoimento dessa mocidade não era um depoimento qualquer. Esses estudantes de vinte anos não eram nem os soldados vulgares marchando para a tragédia automaticamente, por simples obrigação, nem os homens interesseiros procurando transações até mesmo nos caminhos da morte.

Eles tinham uma pureza de infância que se revela na sinceridade de cada carta: uma pureza de intuitos que os preconceitos iludiram, mas não perverteram. Sua experiência foi, por isso, realizada em condições excepcionais, e as conclusões dela tiradas se revestem de um significado verdadeiramente único.

Eles mesmos apontam as razões de certas discordâncias nessa apreciação da guerra:

> Deu-me a impressão de uma irrisão amarga a frase que um pastor escreveu a um dos meus camaradas: "Não devemos desejar que a guerra acabe imediatamente, porque isso é impossível". Eu quisera que esse homem viesse ver isto aqui. Muitos soldados, também, nas suas cartas, parecem não dar conta da gravidade dos acontecimentos; as cartas "bonitas" de soldados são, na sua maioria, escritas por homens que se encontram a alguns quilômetros para trás do *front*.

Assim falava também este outro, morto nas vésperas do armistício:

> Esperamos o armistício de hora em hora. Tomara que ele chegue logo! Porque isto não é mais uma guerra honesta. Se esses senhores que continuam a reclamar uma luta a todo transe vissem o que se passa no *front*,

em que estado se acham as nossas tropas, renunciariam a fabricar as suas frases. Gostaria muito de ver essa gente aqui, por alguns dias, apenas.

Não. O aviso de Moltke não preponderava mais diante da carnificina.

E, como a vida anterior já se fez impossível, e como todos estão ali "esperando a cada instante a chamada da morte", e como o armistício que "do fundo das trincheiras foi percebido como uma miragem durante três anos e meio" está custando a chegar, só resta àqueles moços, contrariando as imposições do momento, salvando da catástrofe a sua inquieta vontade de um destino diferente, – criar, na verdade, esse destino, inventar ali, nos tempos precários, nos precários espaços, uma imagem da vida que teriam vivido se lhes tivessem dado as forças com que se constrói o sonho, quando se é dono da liberdade.

É o instante da camaradagem: "... no entanto, em relação a outras coisas, a camaradagem pode tudo. Não podeis fazer uma ideia de tudo quanto essa palavra encerra de grandeza e beleza."

A camaradagem foi, assim, a criação fraternal de um sonho que a guerra abalou, é certo, mas não venceu.

Ela uniu humanamente os homens de um mesmo país e, até de um lado para outro das fronteiras, homens de países diferentes que lutavam como inimigos e, não obstante, se amavam como irmãos.

A camaradagem foi a remissão voluntária de uma crueldade obrigatória. Em meio a todo o horror, foi a voz que afirmou sempre um futuro sem horrores, e, entre todas as diferenças, a certeza numa verdade comum, aproximando todas as vidas.

Ela chegou a dar a esses moços sofredores um gosto sereno de quem se acha em segurança e olha com encanto a natureza:

> Como a gente se acaricia ao sol, depois de uma noite de batalha! Como se mira a natureza com outros olhos! Como se volta a ser humano, afetuoso, sensível, depois de tais sofrimentos, de semelhantes lutas morais! Fica-se de olhos abertos; percebem-se as verdadeiras tarefas do homem e o seu papel na civilização. Guerra à guerra! É necessário combatê-la por todos os meios. A isso é que eu me dedicaria, se o bom Deus que governa o mundo me permitisse regressar. Passa-se aqui por uma completa transformação. Voltarei para meus pais nascido de novo, mais amadurecido, mais esclarecido. Desse ponto de vista, estes horrores têm, talvez, uma justificação: a guerra, esse monstro infernal, faz, terrivelmente, mas profundamente, a educação dos homens! Ó grande Deus!

Um gosto que permite quase aceitar a guerra sorrindo, não propriamente porque Moltke esteja com a razão, mas porque já se transformou o mal em bem, pelo milagre dos corações que se abriram em cada peito para se derramarem nos horizontes do universo.

Assim, com os olhos enxutos, porque a força do amor enxugou todas as lágrimas, com a desgraça transfigurada, e uma vida nova palpitando sobre a morte, nascida ali entre a metralha, para destruir essa metralha de que se originou, os heróis-meninos puderam sentir até com volúpia o desenlace da sua juventude.

Um deles escreveu:

> Morrer deixa de ser terrível, uma vez que a morte está ali. O que a torna difícil é saber que os nossos se torturam inutilmente imaginando as piores situações. Esta hora de que fazem uma ideia tão horrível pode ser, na verdade, a mais bela, embora a última da nossa vida. Não é, absolutamente, horrível estar deitado sozinho no campo de batalha e saber que é o fim. Pode-se estar calmo e sereno como nunca, depois da infância. Quando se pensa na morte de um filho, deve-se fazê-lo tranquilamente e sem imagens torturantes, como o faz o próprio filho. Se não se for capaz disso, verte-se uma gota de amargura na última hora da sua vida.

Era no mês de maio. Foi nesse mesmo mês que ele morreu.

E pareciam ser para ele as palavras que repercutiam nos lábios moribundos deste outro:

> Sempre que a Páscoa voltar, não poderemos deixar de recordar esta primavera, e admiraremos toda eclosão de vida nova, em todas as coisas e através delas, e nos rejubilaremos, nessa participação. Que os corpos fiquem nos túmulos, não é milagre nenhum: o milagre sempre novo e sempre inacreditável é que dos túmulos saia a vida nova.

A epopeia da Grande Guerra podia ter um capítulo com este nome: "De como os heróis-meninos transformaram a morte em vida, e a guerra em paz".

Porque ninguém foi mais pacifista que eles. Ninguém clamou tão alto por uma fraternidade verdadeira, no momento em que ela devia parecer mais incrível e difícil. Ninguém, pois, sofreu tanto por essa vida impossível como esses meninos que a estavam criando com o próprio sangue ainda quente, com os próprios gemidos ainda nascendo do coração...

Eles nos deixaram, nos seus curtos dias, um exemplo do que pode ser o convívio humano: exemplo tanto mais grandioso e importante quanto surgia de uma experiência a que eles se deram com essa grandeza trágica das criaturas que passam por uma época unicamente, parece, a fim de servirem a inúmeras outras que virão.

Mas o armistício veio. Vieram os tempos. E não podemos dizer que a vida nova tenha saído efetivamente dos túmulos. Pelo menos aquela vida admirável que foi a última figura que passou pelos olhos dessas crianças sacrificadas – junto com o retrato das mães, talvez, porque elas são também, como os túmulos, o abismo de todas as dores e a esperança de todas as ressurreições.

Rio de Janeiro, *Diário de Notícias*, 5 de julho de 1932

Pró-paz...

nfelizmente, não é a paz uma coisa que se consiga quando se quer, com um simples protesto contra a guerra, um voto incerto em ata, um minuto de silêncio ou de pensamento em comum...

A paz não se decide: constrói-se. Não pode ser o produto imediato de uma resolução instantânea. Porque o impulso das guerras traz uma força que não se pode deter sem desastres, nem desviar subitamente da direção em que vem.

A paz – se algum dia a tivermos – terá de ser uma conquista do homem dominado por si mesmo, iluminado em todas as suas inquietudes, conciliado em todos os seus desacordos internos e externos, e dono de uma posição harmoniosa no jogo sem fim das coisas universais.

Certo, haverá muito que andar, por esse caminho. Mas a humanidade possui a virtude de morte, que é uma virtude de renovação. Os mortos de hoje transmitirão aos vivos de amanhã, e aos de todos os tempos, um sonho que já está procurando ser uma pequena realidade. Talvez a vida não seja mais que um grande sonho hereditário. E um dia pode ser que se realize tudo que ela contém de aspiração. Até a paz.

Enquanto não chega esse dia, os sonhadores de hoje vão construindo com as suas pobres mãos o frágil modelo das esperanças, entre os ceticismos, desânimos, fadigas e covardias, de que o mundo é tão copioso.

A Conferência do Desarmamento, por exemplo, que, como a das Reparações, tem sido assaltada por tantas dificuldades, já é, para os idealistas que a contemplam – sem falar nos que dela participem – o princípio de um certo número de aquisições favoráveis a tentativas mais eficientes, nos propósitos de que são portadores.

A redução quantitativa e qualitativa do material bélico seria sempre uma possibilidade a mais, nos interesses pacifistas. Mas a orientação educacional, a formação humana, o desarmamento do espírito ficarão sempre como o ponto definitivo a resolver, para uma conclusão verdadeiramente crível e durável.

Por isso, não se pode perder de vista o protocolo proposto pelas delegações dos Estados Unidos e da Grã-Bretanha para ser anexo à Convenção do Desarmamento.

Diz ele:

Considerando:

1º – Que a redução e a limitação dos armamentos dependem em grande parte do aumento da confiança recíproca entre as nações.

2º – Que o sentimento de segurança nascido de tal confiança depende não somente da política momentânea dos governos mas antes da compreensão internacional da história e da mentalidade dos vários povos.

3º – Que o estado do mundo moderno torna indispensáveis contatos internacionais cada vez mais frequentes assim como torna proporcionalmente maiores as possibilidades de reforçar ou fazer perigar a paz internacional e que a interdependência dos vários países implica a corporação internacional.

4º – Acordam em introduzir nas respectivas legislações os meios adequados para desenvolver o bom entendimento e o respeito mútuos entre os povos por todos os meios possíveis tais como os métodos de ensino, de formação e educação da mocidade.

5º – Acordam no quadro das legislações nacionais em favorecer os serviços que a cinematografia, o teatro e a irradiação radiotelefônica ou radiotelegráfica possam prestar à causa do entendimento mútuo para assegurar a cooperação do mundo intelectual para a causa da paz.

6º – Acordam em recomendar aos representantes autorizados do magistério a difusão dos princípios tendentes à solução pacífica dos litígios internacionais e de respeito no pacto de renúncia à guerra como instrumento de política nacional.

7º – Neste sentido as comissões nacionais de cooperação intelectual de cada país enviarão cada ano à comissão internacional de cooperação intelectual um relatório sobre as medidas tomadas para execução das cláusulas constantes do protocolo.

8º – As altas partes contratantes recomendam que os princípios acima mencionados sejam aplicados de acordo com as diretrizes traçadas no projeto de protocolo anexo.

9º – A presente resolução não impede a conclusão nem a aprovação de propostas de caráter mais amplo sobre o mesmo assunto que possam vir a ser apresentadas ulteriormente.

Embora ligados por todos entre si, convém examinar particularmente os parágrafos 4º e 6º, em que se definem, respectivamente, a responsabilidade da educação e o prestígio do professor nos assuntos relacionados com a paz.

Esse protocolo vai ser examinado pelo comitê especial do desarmamento moral. Ele corresponde a um profundo sentimento humano que, de tão coberto pelas aparências e acasos da civilização, só alguns lábios têm a humilde coragem de o formular.

Mas é belo que a Grã-Bretanha e os Estados Unidos o formulem também.

E pode ser que, do outro lado do mundo, a Índia miserável de Katherine Mayo, a Índia serena e altiva de Gandhi, a Índia dolorosa de Lajpat Rai, a Índia amorosa de Tagore e de Naidu, – carregada dos seus séculos de glória e de incompreensão, escute as palavras dos seus irmãos do Ocidente, e do meio de tão longos martírios chegue a fazer florir o seu sorriso de sabedoria...

Rio de Janeiro, *Diário de Notícias*, 21 de julho de 1932

À hora do fogo

> ... deixaram doze mortos, dez feridos e cerca de cem prisioneiros, entre os quais muitos jovens adolescentes, alunos das escolas de São Paulo.
> [...]
> Nossas tropas, que tiveram apenas uma baixa, procederam com grande denodo e bravura, mas com espírito de humanidade para com os jovens de aspecto infantil, muitos dos quais choravam diante do insucesso.

Estou apenas repetindo umas passagens do comunicado do tenente-coronel Silva Rocha, chefe do Estado-Maior da 4ª Região Militar.

Mas vai nessa repetição um triste gosto. Um doloroso choque com uma realidade amarga. E um sentimento de culpa, de responsabilidade, de erro, a visão do mal evitável, o desgosto da ação justa perdida, e das consequências atrozes que sobrevêm a esse desacerto do ritmo das oportunidades.

Quando, há bem pouco tempo, comentávamos aqui as cartas emocionantes de estudantes alemães mortos na guerra, não nos impressionava apenas o destino daqueles moços, mas o de todas as mocidades vitimadas pela catástrofe de gerações que as esqueceram, e, de dentro dos seus interesses, das suas conveniências, das suas limitações, deixaram de ter esse fervor generoso que faz os homens se expandirem no pensamento comum da humanidade, dando a cada um o poder glorioso de participar, de algum modo, do destino de todos.

Viver não é, certamente, apenas uma vantagem ou um desespero para a criatura: é um compromisso com a totalidade das vidas. E a herança das gerações que passam reflete o aspecto com que elas se definiram, falam da sua preocupação, fixam o seu verdadeiro significado na forma do mundo, que, para além de si, determinaram.

Ver uma juventude tombar em sangue ou render-se chorando, no mais pavoroso dos massacres, que é o da guerra civil, faz pensar nas origens de semelhante loucura cujo ritmo tão facilmente se exalta e tão dificilmente se consegue, depois, deter.

De onde nos vem esta desgraça de agora, e quem a provocou, sem saber, talvez, o que estava fazendo, nessa meia obscuridade das ações pouco sensíveis, em que a força do mal parece mascarar sua fatalidade própria?

De que profundos níveis se levanta esta calamidade – entre tantas outras simultâneas, na terra – que o esforço do nosso coração não a consegue abolir, e o empenho da nossa vontade não pode, ao menos, fazer parar?

Depois da Grande Guerra, todas as vistas se voltaram para os fatos da educação, e os homens se convenceram de que seria possível criar um mundo novo, mais justo e harmonioso, integrando todas as vidas na sua finalidade exata, deixando a todos esse quinhão de felicidade que é a garantia única da paz.

Neste momento em que a luta de brasileiros é, para nós, tão lamentável e cruel como a Grande Guerra, só a mesma esperança nos fica: a de uma educação que salve, que "acaba de humanizar os homens" – como escreveu certa vez Alfonso Reyes.

E essa esperança nos vem somente da Nova Educação. É verdade que ainda não conhecemos os seus efeitos. Mas conhecemos os da antiga. É deles que o mundo sofre. E que sofre o Brasil. Sofrimento por sofrimento, não se pode temer maior.

Rio de Janeiro, *Diário de Notícias*, 29 de julho de 1932

Paz

caba de ser conferida a Legião de Honra à cidade de Albert, que, arrasada completamente, durante a Grande Guerra, foi toda reconstruída e agora viu reintegrados nos seus lares os antigos habitantes.

O acontecimento deve ter sido muito emocionante. O presidente Lebrun e o ministro Herriot percorreram, com a sua comitiva, a nova cidade, por entre aclamações. E, depois de entregue a condecoração à cidade-mártir, o cortejo dirigiu-se a Thiepval, onde foi erguido um grande arco de triunfo mortuário, à entrada dos antigos campos de batalha, que são hoje um enorme cemitério onde repousam 73.367 oficiais e soldados britânicos sacrificados na Grande Guerra.

Diante de uma formidável multidão, indiferente à chuva que desaba, o príncipe de Gales descobre o monumento elevado à memória dos mortos. E, então, recitada uma oração fúnebre, o presidente Lebrun, tomando a palavra, mostra como aquela imensa necrópole fala altamente dos horrores da guerra e concita a se manterem unidos os que a grande catástrofe sustentou aliados, conservando um entendimento permanente, capaz de permitir consultas mútuas sobre questões que possam sobrevir a respeito da situação europeia.

As palavras de Lebrun, diante daquele pórtico, aberto para a vasta amargura dos silenciosos restos de tantas vidas brutalmente acabadas, deveriam ter um estranho timbre e uma particular repercussão.

Fala-se facilmente da desgraça e da morte quando se está longe delas. Então, os lábios podem estar serenos e os olhos como se não soubessem chorar. Mas em face dos instantes trágicos ainda existe na vida humana uma sensibilidade suscetível de se perturbar, e pela qual se tentam as coisas extraordinárias que só podem triunfar se animadas por esse estremecimento interior que transfigura a humanidade e a pode conduzir para mais longe e mais alto.

Acredito que, perto dos despojos tristes dessas pobres vítimas armadas – sabe-se lá com que agonia!, – a multidão atenta abolisse no coração todas as forças de ódio que levam a antagonismos e carnificinas.

Mas a atmosfera não fixa para sempre a voz humana. Aqueles ares chuvosos, envolvendo a cidade ressuscitada, não poderiam guardar aceso o apelo de paz de um tão comovente instante.

Nem outros ares mais claros e estáveis têm conseguido preservar outras vozes assim.

De todos os pontos do mundo, os homens mais eminentes – chefes de povos, chefes de ideologias, cientistas, pensadores, poetas – vêm suplicando aos homens que pacifiquem a vida. E onde está a esperada resposta aos sonhos decepcionados?

Neste momento, sobre o mapa do mundo a linha vermelha das guerras desliza como um meteoro. Com uma velocidade que todas as conquistas legítimas do progresso invejam dolorosamente.

Quando alcançaremos uma realidade menos cruel, de tempos que se façam harmoniosos pelo desarmamento geral do espírito, devotado ao trabalho honesto e justo que garante uma felicidade exata?

Em todo educador verdadeiro existe um pacifista arrebatado por essa inquietação.

Mas que palavras estarão para ser descobertas que possam fazer do sonho um espetáculo apaixonante e que ouvidos estarão para ser criados que escutem a palavra que passa e a convertam na ação capaz de ficar florescendo longamente?

Rio de Janeiro, *Diário de Notícias*, 3 de agosto de 1932

Mussolini e a paz

> Roma, 4 (U. P.) – O sr. Benito Mussolini, chefe do governo, declara em franco e surpreendente artigo publicado hoje no *Popolo d'Italia* que a guerra, aparentemente, não pode ser abolida e que o fascismo não sustentará, com certeza, o pacifismo eternamente. O importante artigo será dado à publicidade em todos os jornais italianos, mais tarde.
>
> Considerando o desenvolvimento futuro da humanidade, escreve o primeiro-ministro: "O fascismo não acredita na possibilidade ou utilidade da paz perpétua, e põe de lado o pacifismo que implica a renúncia à luta".

Moltke não achara a paz nem possível nem bela. O sr. Benito Mussolini não a acha nem possível nem útil.

Mas os rapazes alemães da Grande Guerra experimentaram duramente a mentira das frias palavras com que por muitos anos se tinham deixado impregnar, juntamente com muitos outros pensamentos idênticos. E desgraçadamente é possível que outras juventudes venham a pôr à prova estas de agora, que, num mundo ainda perturbado pela última catástrofe, parecem a anunciação trágica de próximas catástrofes maiores e mais terríveis.

No entanto, ao lado desse telegrama sombrio e amargo, coloquemos alguns trechos da revista de educação *Pour l'ère nouvelle*, número de abril-maio, exclusivamente dedicado à paz!

> Não esqueçamos a evolução normal dos instintos. Primeiro, é a fase do instinto bruto, que realiza apenas um gesto material e com ele se satisfaz. Para o instinto combativo, é a luta corpo a corpo, o soco primitivo, que só tem por fim lançar o rival por terra e despojá-lo dos seus bens. Depois, uma fase intermediária, em que permanece o gesto físico, – mas a serviço de um fim que lhe é superior, aureolado pelo ideal que lhe propõem atingir. No que diz respeito às guerras, as nações estão nesse ponto e ainda não o transpuseram. Há muitos séculos, já, reparai, as guerras se chamam: guerras de equilíbrio europeu, de independência, guerra do direito, até que se chegue à luta pela supressão da guerra, "a última das últimas", a guerra pela paz.

Crônicas de educação 4 • 225

"Mas, se as coletividades não transpuseram esse ponto, os indivíduos, mais flexíveis que o Estado e cuja evolução é forçosamente mais rápida, começam a contemplar a terceira fase: aquela em que se conseguirá converter toda a combatividade instintiva em grandes esforços humanitários. Nos trabalhos de paz há lugar, também, para as necessidades de idealismo, de ascensão para o melhor, não menos enraizadas na alma que o próprio instinto combativo." (M. Angles)

[...]

Resolução do *Comité d'experts* para a revisão dos manuais escolares: "O *Comité d'experts* para revisão dos manuais escolares é de opinião que a Sociedade das Nações deveria recomendar aos governos de velar diretamente a fim de que os manuais em uso nos seus países não contenham passagens nocivas à compreensão mútua dos povos".

[...]

"A 27 de fevereiro, realizou-se em Bruxelas uma reunião destinada a lançar as bases de uma "Seção dos Educadores". A reunião foi presidida por M. Destrée, antigo ministro das Ciências e Artes, e honrada com a presença de várias personalidades, notadamente a de M. Janssen, antigo ministro das Finanças.

Os fins da "Seção dos Educadores" foram assim precisados:

1º – Agrupar todos os educadores que se interessam pela questão da paz pela escola.

2º – Documentá-los e ajudar, assim, à sua formação pessoal.

3º – Estudar a psicologia, as reações da criança em face das questões de "guerra" e de "paz" ou qualquer outra ligada às relações internacionais.

4º – Procurar e vulgarizar os meios mais próprios para desenvolver na criança, por meio da instrução e da educação, as noções de moral internacional, de lealdade internacional e de responsabilidade internacional.

5º – Estudar os meios de ensinar a existência, a obra e os fins da Sociedade das Nações, quer pelo método direto quer pelo indireto.

6º – Fazer conhecer o esforço análogo que se realiza noutros países." (Maurice Peers)

[...]

"Mui justamente nos fizestes notar que, se quisermos obter a verdadeira paz neste mundo e empreender a guerra à guerra, precisamos começar pelas crianças; se elas crescerem conservando sua inocência natural, não teremos que lutar, não teremos que votar resoluções vãs e sem resultado, mas iremos para a frente, de um amor a um amor mais alto, de paz a uma paz mais verdadeira, até serem todos os recantos do mundo inundados por essa paz e esse amor dos quais, consciente ou inconscientemente, o mundo inteiro está faminto." (Gandhi)

E, para terminar, esta mensagem das crianças francesas às crianças do mundo inteiro:

> Caros amigos desconhecidos: – Hoje, 11 de novembro, todo o mundo pensou na guerra, – e era triste; mas todo o mundo pensou também na paz – e era consolador.
>
> Nós, os pequenos, precisamos, para ser felizes, que os grandes estejam de acordo; amamos a paz e queremos fazê-la reinar por toda a parte, quando formos grandes.
>
> Caros camaradas dos outros países, sabemos que sois criancinhas como nós, embora diferentes de rosto, de trajos, de hábitos. Tendes pais que quereis conservar e mães que não quereis ver chorar.
>
> Então, precisamos prometer não deixar voltar a guerra. Ela não voltará, se nos amarmos todos como bons camaradas, e é o que vos queremos dizer esta noite.
>
> Amigos desconhecidos, os pequenos franceses vos estendem as mãos e vos enviam uma mensagem que se pode dizer numa palavra: amizade.

Até as crianças escrevem isso.

Mas o sr. Benito Mussolini pensa de outro modo. E Marconi vai inventando o raio da morte...

Rio de Janeiro, *Diário de Notícias*, 6 de agosto de 1932

Continuação de Mussolini e a paz

Como as passagens do último artigo do sr. Benito Mussolini, relativas à guerra, provocassem, por parte da imprensa estrangeira, comentários naturalmente pouco favoráveis aos sonhos do fascismo, apareceu no *Giornale d'Italia* uma resposta às críticas dirigidas ao Duce, acentuando que as suas palavras "correspondem a uma concepção histórica e espiritual do regime e não a um programa". A explicação não parece dissipar as dúvidas todas, pois o razoável é que o *programa* de um *regime* decorra da sua *concepção histórica e espiritual*.

Isso faz lembrar um outro fato: como se sabe, os professores universitários da Itália foram obrigados a prestar um juramento de submissão ao fascismo, em termos que esta Página divulgou no próprio original. Algum tempo depois, talvez pelo efeito que esse juramento causou nos centros universitários estrangeiros, e os protestos que levantou de professores mundialmente respeitados, o sr. Baldino Guilano, que era então ministro da Educação Nacional, declarava que esse juramento "não significava a fidelidade a um partido, mas o reconhecimento de que a Itália entrou em uma nova fase histórica...".

Seja como for, o que fica de pé afligindo o pensamento dos homens de boa vontade que estão, com infinitos e desconhecidos sacrifícios, tentando a hipótese de um mundo melhor e de vida mais humana é essa aceitação da fatalidade da guerra, essa convicção de que não se progride, não se evolui, não se pode querer o aperfeiçoamento, pois, segundo este artigo do *Giornale d'Italia*, o sr. Benito Mussolini "não pode conceber a história da humanidade no futuro sem novos conflitos de raças, ou interesses entre continentes ou Estados". E por esta razão envelhecida, retrógrada, que não está de acordo com os celebrados progressos do fascismo: "porque nunca foi registrada a passagem de um século sem guerras". Quer dizer que o passado é uma regra absoluta. Que só terá de ser, para sempre, o que já foi. Portanto, o que ainda não aconteceu não acontecerá... Enfim, uma negação total de evolução. Chega a ser incrível que se possa colocar o problema da paz – neste instante de conferências de desarmamentos e de dívidas de guerra – dentro desse confuso silogismo, cheio dos mais sombrios pessimismos sobre as possibilidades humanas.

E enquanto o sr. Benito Mussolini se abandona a esses sonhos, milhares de órfãos de guerra, segundo um telegrama de Verdun, andaram derramando flores sobre quatrocentos mil mortos franceses que não puderam ser identificados.

Depois da cerimônia do cemitério de Thiepval, esta homenagem aos defensores de Verdun vem relembrar o luto de que anda vestido o mundo, pela calamidade de 14.

É preciso não esquecer que, além dos pacifistas desinteressados, que só viram morrer na Grande Guerra os sonhos e os trabalhos do seu pensamento e do seu coração, há uma realidade de carne sofrendo com lágrimas de sal a miséria que recebeu da loucura dos ambiciosos, dos fanáticos de poder, dos cultores da força brutal, dos adoradores dos sanguinários triunfos.

Ainda que houvesse na terra apenas uma criatura chorando a morte de cada triste mártir daquela infernal epopeia, os homens de hoje deveriam olhar como um ultraje a essa infelicidade qualquer pensamento de agora, sobre a guerra, que não fosse para desesperadamente a condenar.

Há, porém, muito mais. Há o luto de todas as outras guerras, de todas as incompreensões de cada dia, de toda a tragédia humana na sua aspiração para o equilíbrio de uma vida fraternal. Há esse luto geral erguendo as mãos para a esperança. Uma esperança que, tarde ou cedo, vencerá. Mas para a qual se caminha com palavras de fé e atos sinceros. E diante da qual o pessimismo e a ironia parecem expressões de um tempo que os homens não desejam mais viver.

Rio de Janeiro, *Diário de Notícias*, 9 de agosto de 1932

Brinquedos...

Os amadores de símbolos não poderão deixar de ficar pensativos diante desse desastre ocorrido numa fábrica de brinquedos, em Milão, no qual perderam a vida seis operárias, e ficaram feridas cerca de 15.

Não é que as proporções do caso sejam por demais impressionantes, contemplados apenas esses algarismos. Trata-se, porém, de uma explosão numa fábrica de revólveres de brinquedo, – e aí é que o drama se começa a definir com uma nova significação.

Até junto à inocência das crianças os instrumentos de morte lograram estabelecer-se fazendo o mundo da infância repetir candidamente a imagem das atrocidades que os homens têm cometido sobre a terra. O intuito de amar as crianças não tem sido tão absolutamente puro e lúcido que evitasse a contaminação do pensamento infantil dessas sombrias razões com que os homens fazem seus ódios, mediante a invenção de brinquedos que os reproduzem.

A simples ideia de que uma barbaridade executada poderia propagar-se para sempre na humanidade, refletindo-se na curiosidade dos pequeninos observadores, deveria contribuir para o melhoramento da vida, por uma restrição dos sentimentos cruéis, por uma pacificação da natureza combativa, por uma renúncia às conquistas da força e às explosões de rancor.

Considerado, no entanto, o estado do mundo, pelo menos o pudor da realidade deveria evitar os brinquedos que diariamente vemos nas mãos das crianças, com uma naturalidade que é a consagração dos crimes que eles representam.

Como, porém, ainda não há uma preocupação veemente com esses problemas, como, apesar de tantas experiências duramente sofridas, ainda há criaturas desatentas, para quem a obrigação de viver é coisa fácil, a de morrer, fatal, e a de matar, perdoável, – parece que os próprios brinquedos se insurgem contra a licença de serem fabricados, mostrando que na sua precária forma pode existir aquela energia que prostra para sempre e com que os homens brincam há tanto tempo, distraídos, já, pelo hábito, dos seus funestos efeitos.

Talvez, mais que os compradores, os operários empenhados na fabricação desses brinquedos, pelo trato constante com as suas peças, estivessem em condições de refletir sobre o seu valor desumano, e a infelicidade dos filhos dos homens, que recebem de presente instrumentos de morte antes mesmo de aprenderem o significado da vida.

E justamente desses operários é que saíram as vítimas para este caso tão triste, dentre aqueles que, contra a sua vontade, talvez, participavam de um mal que já era tempo de se querer extinguir.

A redução dos armamentos é uma tentativa de paz; mas o desarmamento do espírito é que a pode garantir e efetivar. Esse desarmamento, porém, tem de se fazer devagar, por uma convicção profunda que dê às criaturas a coragem de um gesto voluntário, não uma atitude meramente convencional e decorativa.

Mas o mundo das crianças está armado, também: com livros perigosos, com brinquedos terríveis, – além de todos os preconceitos que recebe das fronteiras do mundo dos adultos, tão acessíveis às perniciosas comunicações.

Agora que se cogita de diminuir os instrumentos de guerra, seria oportuno dar aos meninos que pedissem esses brinquedos detestáveis uma explicação que os comovesse e os fizesse desistir do seu pedido. Quanto aos que ainda não os conhecem, seria um pequeno serviço à educação que se fizesse uma escolha mais feliz, antes de os iniciar nesse convívio, que a explosão agora ocorrida sempre relembrará com uma singular aflição.

Rio de Janeiro, *Diário de Notícias*, 10 de agosto de 1932

A paz pela educação

Para que o mundo firmasse um compromisso duradouro de paz, seria necessário, primeiro, que os homens se sentissem unidos por uma inspiração geral de amor. Para que esse amor, porém, possa, por sua vez, existir, mister se faz uma expansão de conhecimento que torne familiares todas as coisas que ainda estejam sendo obscuras ou incompreensíveis, e de cuja desconfiança e temor podem nascer esses desequilíbrios que custam o preço das guerras e marcam sombriamente a longa marcha da humanidade.

Quando Narciso morreu e as águas falaram, umas disseram: "Nós o amávamos porque víamos refletir-se em nós a sua beleza"; disseram outras: "Nós o amávamos porque, sempre que ele se debruçava sobre nós, víamos a nossa beleza refletida nos seus olhos".

E todas as águas falavam a verdade: nós só amamos bem o que se parece bem conosco; andamos sequiosos de repercussões, de respostas, de reflexos que de certo modo repitam o que somos: como se a nossa verdade dependesse de uma confirmação exterior, como se a nossa própria existência carecesse, para ter realidade, do testemunho de uma identidade verificada plenamente noutra vida.

Os espíritos universais, que sentem sua pátria no mundo todo, estão dentro dessa pequena lei. Eles subiram – por vários e diferentes caminhos – à contemplação dos espetáculos da humanidade. E, desfeitas as rápidas ilusões de perspectivas e aparências, encontraram a mesma unidade profunda orientando a inquietude de todas as vidas em todos os tempos e latitudes. Saíram transfigurados dessa contemplação. Para eles, todos os erros momentâneos de distância e de forma deixam de existir para sempre. Sabem que, por entre eles, se insinua aquela secreta afinidade que dispõe tudo quanto vive no mesmo plano fraternal.

A arte, a ciência, a filosofia, o misticismo podem conduzir a essa conquista de uma visão justa e larga, favorável à esperança de dias mais perfeitos e seguros, sustentados talvez mais pelo favor do sentimento – por uma luz forte e pura de inteligência, que tem na sua rigorosa serenidade o milagre do seu esplendor.

Mais, porém, do que tudo isso, a educação pode trabalhar por um resultado assim: porque, sem se inclinar apenas por um caminho, ela possui maior riqueza de oportunidades, e, por se dirigir simultaneamente a todos, prepara simultaneamente, por múltiplos processos, os próprios elementos de que vai ser construído o mundo que se espera, acima deste que por enquanto se vê.

Esse mundo que se espera terá de ser um produto de forças simpáticas, agindo com a necessária liberdade, mas conciliando-se nesse comum acordo que põe em cada destino o sentido da sua finalidade.

Teremos, pois, de nos conhecer para o realizarmos. É, afinal, uma coisa assim fácil. Mas que tem sido difícil. Pense-se no Oriente: quais são os espíritos ocidentais capazes de, com sinceridade e isenção, se entregar ao estudo desses povos, vítimas do preconceito de uma civilização diferente, que vaidosamente afirma de si mesma que é superior quando não diz que é única... Pense-se na má vontade quase geral que guardam as várias crenças entre si... Pense-se no duvidoso patrimônio histórico da humanidade, a que vamos dando fé segundo a versão que nos agrada mais, na volubilidade do instante...

É feito disso o nosso sofrimento. E não o poderemos abolir sem nos corrigirmos, e sem nos privarmos de transmitir para diante os erros de que andamos tão exaustos.

O respeito mútuo, um respeito sem fingimentos e sem rotinas, um respeito bem-intencionado, que todos os dias se ilumina de argumentos novos e todos os dias se sente pequeno diante da sua aspiração, poderá servir de base, dentro da obra educacional, a um movimento de resultados eficientes, no problema urgentíssimo da salvação do mundo pela garantia unânime da paz.

Rio de Janeiro, *Diário de Notícias*, 11 de agosto de 1932

Notas de um caderno de guerra

Quando Heinrich Georg Steinbrecher escreveu as suas notas de um caderno de guerra, não tinha ainda 24 anos. Mas não chegou a fazer 25...

Algumas delas figuram naquela coleção de "Cartas de estudantes mortos na guerra", de que já tratamos longamente algum tempo atrás.

E esta página que vamos traduzir é como um poema de criança, escrito numa pausa de amargura, quando a vida mostra o seu rosto sereno para além de todas as grandes calamidades:

> Três dias de primavera! Que banho de sol para os nervos, na encantadora cidadezinha que se vê, do alto, correr entre duas vertentes cobertas de vegetação, como um rio coberto de telhas, que ora apertasse, ora alargasse o curso. A velha igreja cinzenta, abaixo do caminho que a encobre, está toda emoldurada de folhagem e de flores de pessegueiro e amendoeira, como o castelo da Bela Adormecida. Estou deitado numa rampa de relva. O céu é azul: a sombra dos pinheiros, profunda: as árvores estão cobertas de brotos verdes. Um esquilo que não me vê salta, brincando, de ramo em ramo. Tentilhões e garriças chilram na sebe empoeirada. Três menininhas risonhas vêm vindo com flores. Pousam-nas, às escondidas, pertinho de mim, saem correndo em busca de outras e correm uma atrás da outra, a ver qual das duas encontra mais. Acabo ganhando um grande buquê de violetas brancas e azuis, de anêmonas e flores amarelas. Enquanto concerto o buquê, as meninas jogam, leves como a brisa da primavera, dois olhos azuis brilham ainda por detrás da sebe, e as risadas explodem lá embaixo, no prado.
>
> Torno a pegar no meu livro de contos. Os tentilhões altercam. O sol está muito quente. Passam vacas, pastando. Uma após outra, encaram-me e espantam-se. O barulho de um carro de transporte e o passo de uma coluna em marcha fazem-me lembrar que vivo em plena guerra, com soldados vestidos de uma cor terrosa. Tinha-me esquecido dos uniformes pardacentos, das granadas, do cheiro de umidade dos abrigos e dos pálidos rostos exaustos. A verdura, o colorido das flores, os olhos azuis, o perfume das violetas e a brisa da primavera tinham-me feito esquecer

tudo. Mas amanhã afivelaremos os cinturões e tornaremos a entrar nas nossas trincheiras.

A doçura de um poema da criança com a tranquila e clara coragem de uma decisão à moda japonesa.

Heinrich Georg Steinbrecher estava ali especialmente para matar ou morrer. Com esse destino que a guerra inventa para os homens, e de cujas garras eles não podem, depois, escapar.

Heinrich Georg Steinbrecher pôde afastar-se um momento das trincheiras e olhar a primavera que passava sobre a paisagem. A primavera que as guerras não descolorem: que trazem, divinamente serenas, as suas flores harmoniosas, quando o tempo declara que chegou o momento de aparecerem.

Seus olhos, já voltados à morte, puderam ainda deter-se no quadro da terra iluminada, em que os pássaros, os animais e as crianças continuavam a narrativa da vida, isentos da triste fatalidade a que estava submetida sua existência de soldado.

É possível que esse moço alemão tivesse reconhecido sua própria estranheza naquele ambiente de coisas calmas, entregues à delícia de sentir o crescimento da vida como um instrumento sentindo a elevação da sua própria música.

Pelo menos, quando os animais pacíficos, mascando a erva do caminho, o fitaram com espanto, é possível que ele tivesse sentido de si mesmo uma impressão anti-humana e aberrante.

No entanto, as crianças deram-lhe flores. Como se, mais perspicazes e intuitivas, fugindo à aparência enganadora do soldado ocasional que ali estava, contemplassem a criatura humana escravizada a uma técnica, mas palpitante na plenitude das suas qualidades autênticas, – a criatura melhor que as crianças descobrem em tudo, porque seus olhos ainda não se dispersaram nos mil acidentes do múltiplo, e em tudo encontram a clara unidade que está para além dos fatos superficiais.

É possível que Heinrich Georg Steinbrecher ficasse algum tempo cismando sobre os infinitos mistérios que fazem agir os homens quando a sua liberdade humana é substituída por uma imposição que lhe pode ser até antagônica.

E talvez, naquela solidão, alguma pequena lágrima viesse aos seus olhos abandonados, vendo o equilíbrio das coisas na luz da primavera, e a força da vida, vencedora do inverno, rompendo a secura dos troncos e anunciando folhas, flores e frutos vindouros.

E talvez, descendo de novo para as trincheiras sombrias, levasse uma saudade inconsolável do espetáculo perdido, – porque ele tinha visto realmente que a vida é uma realidade assombrosa; e ia fazer a morte, sabendo precisamente que a fazia, e compreendendo esta coisa incrível; que, mesmo fazendo-a, era à vida que estava servindo. E isso é que é afinal o trágico. E o maravilhoso, também.

Rio de Janeiro, *Diário de Notícias*, 27 de agosto de 1932

Os educadores e a paz

Em meio à geral angústia que vai pelo país, por motivo desta luta de brasileiros, deviam ser os educadores os primeiros a pedirem paz.

No entanto, assim não foi.

Parece que a voz dos educadores perdeu a coragem de se arriscar a um apelo vão. Parece que eles a recolheram, diante de tamanho infortúnio, vendo, melhor que nunca, o peso deste empenho de transformar a vida para destinos serenos, habitados por homens sem ódio.

É muito grave falar a gente emocionada, quando um sonho a sustenta, magneticamente, sobre os mais inquietantes abismos. As angústias são também musicais. Possuem um ritmo trágico e ardente, mais que qualquer outro. Precisamente por isso, a palavra tranquila, que talvez a desfizesse, perde todo o seu prestígio: como toda voz que fala, quando ouvida ao lado da que canta ou da que soluça.

Pode ser, porém, que se chegue a uma pacificação. Pode ser que estes emissários que vão trabalhar por um entendimento entre os brasileiros desavindos encontrem algum poder de atingir o seu intuito. E uma nova esperança acorde subitamente sobre estas horas sombrias.

Estamos tão tristes que um dia de serenidade já seria contentamento; estamos todos tão infelizes que qualquer provisória certeza de armistício pareceria um pouco de felicidade.

Mas o coração dos educadores ficará sempre insatisfeito.

Isto de educar é uma inquietude constante pela mais perfeita forma das coisas, um renovado interesse de fazer o melhor possível tudo quanto se tem de tocar; uma visão completa da totalidade dos fatos, a sua penetração, a sua compreensão, e um voluntário devotamento para lhes oferecer oportunidades de plenitude.

O incompleto, incerto, indefinido, dentro das zonas da realidade ativa, aparece, aos olhos do educador, como um estímulo, para prosseguir.

Por isso, em frente do mistério instável do mundo, sua atitude, não podendo ser a de quem o resolve, nem tampouco a de quem se conforma em não o resolver, é a de um observador vigilante e de um trabalhador obstinado, vencendo cada pequena verdade de um dia com as verdades inúmeras em que se vai decompondo o futuro, à medida que o tempo passa, e sem nenhuma promessa de fim.

Para os educadores, qualquer tentativa de pacificação terá sempre um valor profundo. Precária, embora, que seja, sem possibilidade de fixação ou duração.

Mas aquilo por que eles verdadeiramente suspiram não se resolverá jamais com uma palavra milagrosa, por mais alto que a pronunciem, por mais bela que seja, por mais que tenha sido difícil de dizer, e admirável, sendo dita.

Eles quereriam uma paz que não fosse uma interrupção no curso de uma atividade, mas ao contrário, o fim consequente a todas as atividades. Não quereriam uma paz, de certo modo negativa, como essa de baixar as armas, com dúvidas ainda no espírito, e adiadas, esquecidas, talvez – mas sem conciliação.

Para os educadores a paz é uma finalidade a que devem tender todos os trabalhos humanos. Não é solução de um momento, mas efeito da própria vida. A obra que preparam guarda essa aspiração grandiosa de chegar a ser um entendimento geral da humanidade.

E talvez, neste momento de apreensões e de sonhos, eles sintam apenas a enormidade do que têm a realizar, e estejam de certo modo oprimidos por esse destino tão grande que escolheram, e de cujas dificuldades nunca se esqueceram, mas que talvez não viram, de tão perto, no Brasil.

Rio de Janeiro, *Diário de Notícias*, 30 de agosto de 1932

Para acabar com a guerra

Todos se lembram daquela passagem de Remarque em que os rapazes discutem entre si as causas da guerra.

"Nós estamos aqui defendendo a nossa pátria" – diz um deles – "mas os franceses também estão defendendo a sua. Quem tem razão?"

Um dos rapazes, viciado na retórica da escola, informa com ênfase que, "geralmente um país ofende outro..." Mas o companheiro diverte-se: então já se viu uma montanha ofender outra, ou um rio, ou um campo de trigo? Se era assim, nem tinha nada que estar fazendo ali, pois não se sentia ofendido por ninguém...

Nessa discussão da guerra, entre moços sem nenhuma vocação para o massacre, há um ponto em que Remarque faz um dos soldados resolver a questão simplesmente entre os chefes ofendidos, sem sacrifícios de vidas alheias a esses interesses.

Fecha-se o livro, guarda-se a impressão, mas não se imagina pôr em prática o alvitre sugerido, tanto se costuma dissociar o pensamento possível dos homens com os seus atos ainda presos em tantas impossibilidades.

No entanto, um telegrama de Quito dá-nos agora uma fórmula próxima dessa de Remarque.

Diz ele:

> Quito, 27 (A. B.) – O ministro demissionário da Guerra, sr. Leonardo Sotomayor, bateu-se em duelo de pistola com o ex-ministro do Interior, sr. Carlos Zambrano, por motivos de ordem política.
>
> Na ocasião do duelo, deu-se um fato interessante. Depois do sr. Zambrano haver feito funcionar a sua pistola, o sr. Sotomayor, no momento em que ia fazer deflagrar a sua, reconheceu que seu antagonista não era responsável pelo motivo da contenda e disparou a arma para o ar.
>
> A propósito, a imprensa lembra que as dissensões políticas no país poderão, doravante, passar a ser resolvidas por meio de duelos entre duas pessoas, evitando-se as guerras civis.

A melhor esperança para esses casos seria a da súbita iluminação dos adversários: "... o sr. Sotomayor, no momento em que ia deflagrar a sua, reconheceu que seu antagonista não era responsável pelo motivo da contenda e disparou a arma para o ar".

Ora, pensando-se bem, verifica-se que as contendas políticas, de ordem externa, podem ser resolvidas, como as de ordem interna, com um tiro para o ar. E, quando não podem ser resolvidas assim, então ainda é mais grave: não podem ser resolvidas com o morticínio dos inocentes, mas por uma obra poderosa de compreensão, de inteligência e de amor, mais demorada, é certo, que as guerras – ou talvez não – mas de resultados que as guerras todas do mundo ainda não apresentaram, como consequência imediata, no dia em que tombou o último mártir e troou pela última vez o canhão.

Nesta América cheia de revoluções, o telegrama de Quito é uma espécie de proclamação geral. Os srs. Zambrano e Sotomayor dão um exemplo curioso e admirável. Dizem que os bons exemplos devem ser imitados.

Rio de Janeiro, *Diário de Notícias*, 29 de outubro de 1932

Esse fantasma da guerra

Os grandes autores que escreveram sobre a Grande Guerra fizeram-no com uma total amargura e um desespero que ainda palpita nas palavras, como se, atrás de cada uma, estivesse o fogo explodindo e o coração se sentisse ameaçado. Eles a tinham visto demasiado perto, e já sem as fantasias de heroísmo e de conquista evaporadas daquele trágico mar de imperialismo que foi a aventura napoleônica. Não era mais um sonho imprudente que os fazia escrever, mas uma dura realidade, experimentada e sofrida, que se projetava, além disso, no futuro, de maneira inquietante e quase fatal. Então, eles quiseram dar o seu testemunho do massacre, para que as gerações seguintes não se iludissem; para que estivessem de olhos abertos diante dos interesses sinistros que fazem transações com a morte para que se negassem à profissão da guerra como os homens de bem se negam, com inteligência e coração, à profissão do crime.

Infelizmente, sobre esses livros dolorosos, medidos pela cadência de tantas fadigas irremediáveis, e marcados de um cheiro acre de campo de batalha, sobre esses livros em que a pobre voz humana mal tem tempo de soltar o seu último gemido na precipitação das tempestades que sobem do horizonte, e que a envolvem, e que a sufocam, e que a inutilizaram para que não se possa mesmo de nenhum modo salvar, – infelizmente, sobre esses livros mais de um rosto se terá feito pensativo, sonhando a falsa glória de combates ardentes, onde o homem que afirma sua mais bela coragem está, sem o saber, exprimindo a sua mais lamentável covardia.

Quanto leitor, impregnado, ainda, desse veneno do patriotismo mal compreendido, desses sonhos de heroísmo que a música marcial suscita, e de narrativas romanceadas e anacrônicas em que as atrocidades se cobriram com a máscara do sacrifício e do dever, terá, percorrendo essas páginas, sentido uma nova inquietude, ardente e alucinada, de estar também ali, de ser homem igual àqueles, de morrer, e de matar, e de sofrer e de ser bravo... E de ser bravo, principalmente...

Esse é o triste destino dos livros de guerra, em certas mãos que um ensinamento mais alto da vida não tenha serenado, disciplinando-as no trabalho e ungindo-as de beleza.

Basta ver, nos filmes do mesmo gênero, o mundo de sensações que certas criaturas evidentemente consolidam, arquejando sobre os mais terríveis detalhes com uma espécie de instinto satânico, invencível, empolgante, que as assalta e domina, numa súbita conversão da própria personalidade.

As gerações de agora ainda estão muito nutridas de lendas militares, muito embaladas de rufos de tambores, muito sensíveis ao ritmo de marchas e de hinos, muito deslumbradas pelo aparato dos uniformes vistosos, para se desvencilhar prontamente de todas as sugestões que se desprendem dessa espécie de ritual de um sangrento culto.

Será preciso, então, que criaturas assim enlouquecidas tenham de vir a aprender com o seu próprio corpo a lição estéril da guerra, para se desfazerem da ilusão do seu prestígio? O relato espantoso de outros que a aprenderam não será suficiente para esse desgosto, esse horror, essa vergonha que um dia colocarão a guerra entre as coisas abomináveis que um homem, por simples elegância humana, se deve abster de praticar?

E que profundo desencanto deve ser, para alguém que tentou levar com a sua experiência, um ensinamento proveitoso aos que por felicidade, ficaram isentos dela, sentir que esse esforço de mostrar o horrível em toda a sua evidência, para fazer constatar sua trágica verdade, pode redundar, afinal, numa inversão desse propósito, propagando com mais intensidade a desgraça que se quis evitar.

E é por isso que os filmes de guerra, podendo ser altamente educativos pelo que inspiram contra esse macabro fantasma, podem também ser veículos formidáveis de deseducação, para um público em que tendências humanas e irresistíveis venham a encontrar alimento e procurar futura expansão.

Rio de Janeiro, *Diário de Notícias*, 3 de novembro de 1932

Os químicos e a paz

Um telegrama de Riga diz:

> Os químicos da Letônia, reunidos em congresso, dirigiram aos seus colegas do mundo inteiro um apelo no qual assinalam a ameaça de um novo conflito e acusam a Sociedade das Nações de ser apenas "uma cortina de fumaça atrás da qual se prepara a guerra".
>
> Pedem também aos colegas estrangeiros que se oponham à utilização da química para fins criminosos.

Nessas curtas linhas sem literatura vai um mundo de sonhos de pacifismo e de beleza, confiados à maior das forças, que é, sem dúvida, a da solidariedade humana.

Todos se lembram daquele célebre soneto de Sully Prudhomme, em que o poeta se imagina abandonado por todos os trabalhadores do mundo. Todos se dispensam de o servir, sugerindo-lhe que se valha a si mesmo. E ele compreende o significado da interdependência, e conhece toda a sua pobreza individual, dentro dessa grande trama complexa em que todas as vidas cooperam, todas se chocam e se compensam, sofrem e se reanimam, com os ritmos e as repercussões com que se vão sustentando mutuamente sobre o tempo.

Sully Prudhomme, tendo que semear seu pão, tecer sua roupa, fazer sua casa, viu os esforços que se vêm sucedendo, de tão longe, até nós, para que se cumpra a existência que temos, boa ou má.

E compreendeu que, paralisada uma dessas forças, todo o sistema se abalaria, prejudicado por essa ruptura de continuidade: os acontecimentos não são apenas os acontecimentos, mas as suas transições, os espaços que os precedem e os que se lhes seguem a atmosfera que os envolve, a auréola que os propaga.

Num mundo assim feito, para a guerra e para a paz, os químicos da Letônia desprendem-se da fatalidade da guerra.

Imaginemos que os seus colegas de toda a terra atendam ao seu generoso e comovente pedido: a guerra não terá mais servidores desses, para a ajudarem na sua criminosa atividade.

E imaginemos que, seguindo esse admirável exemplo, todos aqueles que, de algum modo, possam produzir material utilizável no crime ainda legal da guerra, se recusem a essa cooperação, por um princípio de humanidade que, fortalecido pela união geral, será capaz de fazer sucumbir os interesses que se julguem mais invencíveis.

Como se resolverão os problemas sangrentos que os povos criam entre si? Os partidários da guerra não poderão, sozinhos, produzir o que múltiplas indústrias conseguem arduamente realizar.

Restará o encontro pessoal, como solução última. E esse, segundo várias probabilidades, é sempre para acreditar que dificilmente se dê.

Esperemos, pois, que os químicos do mundo inteiro apoiem a belíssima ideia dos seus colegas da Letônia. Esperemos que, recordando os horrores de que participaram até aqui, se recusem a continuar numa cumplicidade sinistra que, de dentro de um laboratório, distribui friamente a morte por homens desconhecidos, por motivos desconhecidos, com uma atrocidade só perdoável pelo automatismo com que se executa.

Esperemos, também, que operários e sábios suspendam suas invenções e suas tarefas, quando tenham de ser dirigidas para o massacre dos homens.

Da eficiência dessa recusa geral falam as palavras do poeta, sentindo a sua fraqueza infinita, no desamparo obstinado de todos os trabalhadores que um dia, em sonho, não o quiseram servir...

Rio de Janeiro, *Diário de Notícias*, 8 de novembro de 1932

A escola e a obra da paz

Julien Luchaire conseguiu escrever, neste momento de tamanhas apreensões, um livro em favor da paz: um livro construtivo, de esperança, de otimismo, de realidades que querem ser uma comparação de tantos sonhos nesse sentido formulados.

Um livro que se chama *Le désarmement moral* não podia deixar de ter um capítulo consagrado à ação da escola nessa obra que interessa não só ao homem de agora, mas também a toda a humanidade em formação.

Ele vê o desarmamento escolar não como uma propaganda especial, à margem de um programa, e sim, ao contrário, como o intuito central, o pensamento dominante da educação.

Desse modo, trata-se, ao mesmo tempo, de modificar o ambiente, – livro e professor, – para que o aluno encontre como que uma nova era, onde não existem mais as repercussões e as lembranças dos desentendimentos e das guerras que tanto têm afligido os povos.

Está claro que essa possibilidade de uma atmosfera serena, na Europa ainda abalada pela última catástrofe, representa uma conquista que o Brasil, por exemplo, não teria dificuldade em fazer.

E aqui temos uma indicação a aproveitar como feição pacifista da educação nacional.

Julien Luchaire observa que esse ambiente de isenção será mais favorável ao desarmamento que quaisquer considerações sobre a guerra e a paz.

Ele fala também numa cooperação internacional: e nesse ponto intervém a retificação dos compêndios escolares – principalmente os de história – onde todas as pátrias se revejam com a fisionomia forte e heroica de uma formação em marcha, mais do que como numa luta obstinada, sem termo nem explicação.

Como o desarmamento terá de ser uma ação conjunta dos povos, o autor imagina um compromisso geral baseado no seguinte: expurgar programas, livros escolares e – *dans la mesure du possible* – o cérebro dos professores de todos os ressentimentos antigos ou recentes, entre os povos; visão nova da história e da geografia; desenvolvimento do ensino de línguas vivas.

Crônicas de educação 4 • 245

Essas são as medidas principais, que se lhe afiguram de maior exequibilidade.

Além disso, lembra os departamentos criados em vários países para intercâmbio universitário e escolar, com as vantagens de comunicabilidade internacional representada em correspondência, viagens de férias e escolas internacionais.

São esses, diz ele,

> les contours de l'opération du désarmement scolaire dont le centre est la réforme de l'enseignement de l'histoire.
> Et dont le symbole serait l'affichage de l'Acte géneral de renonciation á la guerre dans toutes les écoles du monde...

Como se vê, é um livro prático. Sem literatura. Um manual da paz. Que corresponde ao que todos queremos.

Resta-nos mostrar que o queremos, verdadeiramente, cumprindo-o com fervor e exatidão.

Rio de Janeiro, *Diário de Notícias*, 17 de dezembro de 1932

Despedida

Aqueles que se habituaram a falar, de uma coluna de jornal, sobre assuntos de seu profundo interesse e chegaram a saber que alguém os ouvia, e participava da inquietude do seu pensamento, criaram um mundo especial, de incalculáveis repercussões, cuja sorte condicionaram à sua, pela responsabilidade a que ficam sujeitos os autores de toda criação.

Esta "Página" foi, durante três anos, um sonho obstinado, intransigente, inflexível, da construção de um mundo melhor, pela formação mais adequada da humanidade que o habita.

Diz uma das nossas autoridades no assunto que isto de ser educador tem, evidentemente, a sua parte de loucura.

Mas, além de um sonho, esta "Página" foi também uma realidade enérgica, que muitas vezes, para sustentar sua justiça, teve de ser impiedosa e pela força de sua pureza pode ter parecido cruel.

O passado não é assim tão passado porque dele nasce o presente com que se faz o futuro. O que esta "Página" sonhou e realizou, pouco ou muito – cada leitor o sabe –, teve sempre, como silenciosa aspiração, ir *além*. O sonho e a ação que se fixam acabam: como o homem que se contenta com o que é, e eterniza esse seu retrato na morte.

Assim, este último "Comentário" de uma série tão longa em que andaram sempre juntos um pensamento arrebatado e vigilante; um coração disposto ao sacrifício; e uma coragem completa para todas as iniciativas justas, por mais difíceis e perigosas – este "Comentário" não termina terminando.

Ele deixa em cada leitor a esperança de uma colaboração que continue. Neste sucessivo morrer e renascer que a atividade jornalística, diariamente, e mais do que nenhuma outra, ensina, há bem nítida a noção da esperança que, através de mortes e ressurreições, caminha para o destino que a vida sugere ou impõe.

Pode cessar o trabalho, pode o trabalhador desaparecer, para não mais ser visto ou para reaparecer mais adiante; mas a energia que tudo isso equilibrava, essa permanece viva, e só espera que a sintam, para de novo modelar sua plenitude.

Manteve-nos a energia de um sentimento, claro e isento, destes fatos humanos que a educação codifica e aos quais procura servir.

Nada mais simples; e nada tão imenso. Simples – que até pode ser feito por nós anos inteiros, dia a dia. Imenso – que já passou tanto tempo, e há sempre mais a fazer, e melhor e mais difícil – e, olhando-se para a frente, não se chega a saber em que lugar pode ser colocado o fim.

Não é aqui, positivamente. Aqui é, como já dissemos, a esperança da continuação, tanto na voz que se suceder à que falava como em cada ouvinte que lhe traga a colaboração da sua inteligência compreensiva, atenta, ágil e corajosa; a inteligência de que o Brasil precisa para se conhecer e se definir; a inteligência de que os homens necessitam para fazerem a sua grandeza nos campos mais adversos, sob os céus mais perigosos; a inteligência que desejaríamos exatamente tanto possuir como inspirar, porque essa é, na verdade, uma forma às vezes dolorosa mas sempre definitiva de salvação.

Rio de Janeiro, *Diário de Notícias*, 12 de janeiro de 1933

Cronologia

1901

A 7 de novembro, nasce Cecília Benevides de Carvalho Meirelles, no Rio de Janeiro. Seus pais, Carlos Alberto de Carvalho Meirelles (falecido três meses antes do nascimento da filha) e Mathilde Benevides. Dos quatro filhos do casal, apenas Cecília sobrevive.

1904

Com a morte da mãe, passa a ser criada pela avó materna, Jacintha Garcia Benevides.

1910

Conclui com distinção o curso primário na Escola Estácio de Sá.

1912

Conclui com distinção o curso médio na Escola Estácio de Sá, premiada com medalha de ouro recebida no ano seguinte das mãos de Olavo Bilac, então inspetor escolar do Distrito Federal.

1917

Formada pela Escola Normal (Instituto de Educação), começa a exercer o magistério primário em escolas oficiais do Distrito. Estuda línguas e em seguida ingressa no Conservatório de Música.

1919

Publica o primeiro livro, *Espectros*.

1922

Casa-se com o artista plástico português Fernando Correia Dias.

1923

Publica *Nunca mais... e Poema dos poemas*. Nasce sua filha Maria Elvira.

1924

Publica o livro didático *Criança meu amor...* Nasce sua filha Maria Mathilde.

1925

Publica *Baladas para El-Rei*. Nasce sua filha Maria Fernanda.

1927

Aproxima-se do grupo modernista que se congrega em torno da revista *Festa*.

1929

Publica a tese *O espírito vitorioso*. Começa a escrever crônicas para *O Jornal*, do Rio de Janeiro.

1930

Publica o poema *Saudação à menina de Portugal*. Participa ativamente do movimento de reformas do ensino e dirige, no *Diário de Notícias*, página diária dedicada a assuntos de educação (até 1933).

1934

Publica o livro *Leituras infantis*, resultado de uma pesquisa pedagógica. Cria uma biblioteca (pioneira no país) especializada em literatura infantil, no antigo Pavilhão Mourisco, na praia de Botafogo. Viaja a Portugal, onde faz conferências nas Universidades de Lisboa e Coimbra.

1935

Publica em Portugal os ensaios *Notícia da poesia brasileira* e *Batuque, samba e macumba*.

Morre Fernando Correia Dias.

Nomeada professora de literatura luso-brasileira e mais tarde técnica e crítica literária da recém-criada Universidade do Distrito Federal, na qual permanece até 1938.

1937

Publica o livro infantojuvenil *A festa das letras*, em parceria com Josué de Castro.

1938

Publica o livro didático *Rute e Alberto resolveram ser turistas*. Conquista o prêmio Olavo Bilac de poesia da Academia Brasileira de Letras com o inédito *Viagem*.

1939

Em Lisboa, publica *Viagem*, quando adota o sobrenome literário Meireles, sem o *l* dobrado.

1940

Leciona Literatura e Cultura Brasileiras na Universidade do Texas, Estados Unidos. Profere no México conferências sobre literatura, folclore e educação.

Casa-se com o agrônomo Heitor Vinicius da Silveira Grillo.

1941

Começa a escrever crônicas para *A Manhã*, do Rio de Janeiro. Dirige a revista *Travel in Brazil*, do Departamento de Imprensa e Propaganda.

1942

Publica *Vaga música*.

1944

Publica a antologia *Poetas novos de Portugal*. Viaja para o Uruguai e para a Argentina. Começa a escrever crônicas para a *Folha Carioca* e o *Correio Paulistano*.

1945

Publica *Mar absoluto e outros poemas* e, em Boston, o livro didático *Rute e Alberto*.

1947

Publica em Montevidéu *Antologia poética (1923-1945)*.

1948

Publica em Portugal *Evocação lírica de Lisboa*. Passa a colaborar com a Comissão Nacional do Folclore.

1949

Publica *Retrato natural* e a biografia *Rui: pequena história de uma grande vida*. Começa a escrever crônicas para a *Folha da Manhã*, de São Paulo.

1951

Publica *Amor em Leonoreta*, em edição fora de comércio, e o livro de ensaios *Problemas da literatura infantil*.

Secretaria o Primeiro Congresso Nacional de Folclore.

1952

Publica *Doze noturnos da Holanda & O Aeronauta* e o ensaio "Artes populares" no volume em coautoria *As artes plásticas no Brasil*. Recebe o Grau de Oficial da Ordem do Mérito, no Chile.

1953

Publica *Romanceiro da Inconfidência* e, em Haia, *Poèmes*. Começa a escrever para o suplemento literário do *Diário de Notícias*, do Rio de Janeiro, e para *O Estado de S. Paulo*.

1953-1954

Viaja para a Europa, Açores, Goa e Índia, onde recebe o título de Doutora *Honoris Causa* da Universidade de Delhi.

1955

Publica *Pequeno oratório de Santa Clara, Pistoia, cemitério militar brasileiro* e *Espelho cego*, em edições fora de comércio, e, em Portugal, o ensaio *Panorama folclórico dos Açores: especialmente da Ilha de S. Miguel*.

1956

Publica *Canções* e *Giroflê, giroflá*.

1957

Publica *Romance de Santa Cecília* e *A rosa*, em edições fora de comércio, e o ensaio *A Bíblia na poesia brasileira*. Viaja para Porto Rico.

1958

Publica *Obra poética* (poesia reunida). Viaja para Israel, Grécia e Itália.

1959

Publica *Eternidade de Israel*.

1960

Publica *Metal rosicler*.

1961

Publica *Poemas escritos na Índia* e, em Nova Delhi, *Tagore and Brazil*.

Começa a escrever crônicas para o programa *Quadrante*, da Rádio Ministério da Educação e Cultura.

1962

Publica a antologia *Poesia de Israel*.

1963

Publica *Solombra* e *Antologia poética*. Começa a escrever crônicas para o programa *Vozes da cidade*, da Rádio Roquette-Pinto, e para a *Folha de S.Paulo*.

1964

Publica o livro infantojuvenil *Ou isto ou aquilo*, com ilustrações de Maria Bonomi, e o livro de crônicas *Escolha o seu sonho*.

Falece a 9 de novembro, no Rio de Janeiro.

1965

Conquista, postumamente, o Prêmio Machado de Assis da Academia Brasileira de Letras, pelo conjunto de sua obra.

Conheça outras obras de Cecília Meireles publicadas pela Global Editora:

- O Aeronauta
- Amor em Leonoreta
- Baladas para El-Rei
- Canções
- Cânticos
- Crônica trovada da cidade de Sam Sebastiam*
- Crônicas de viagem (3 volumes)
- Doze noturnos da Holanda
- Espectros
- Mar absoluto e outros poemas
- Metal Rosicler
- Morena, pena de amor
- Nunca mais... e Poema dos poemas
- Pequeno oratório de Santa Clara, Romance de Santa Cecília e Oratório de Santa Maria Egipcíaca
- Pistoia, Cemitério Militar Brasileiro
- Poemas de viagens
- Poemas escritos na Índia
- Poemas italianos
- Poesia completa (2 volumes)
- Problemas da literatura infantil
- Retrato natural
- Romanceiro da Inconfidência
- Solombra
- Sonhos
- Vaga música
- Viagem

* prelo

GRÁFICA PAYM
Tel. [11] 4392-3344
paym@graficapaym.com.br